구름은 서西로
달은 동東으로

구름은 서西로
달은 동東으로

1판 1쇄 인쇄 2018년 9월 5일
1판 1쇄 발행 2018년 9월 15일

지은이 김기호

펴낸이 최준석
펴낸곳 한스컨텐츠㈜
주소 서울시 마포구 동교로 136, 401호
전화 070-5117-2318 팩스 02-2179-8103
출판신고번호 제313-2004-000096호 신고일자 2004년 4월 21일

ISBN 978-89-92008-78-5 03150

이 도서의 국립중앙도서관 출판예정도서목록(CIP)은 서지정보유통지원시스템 홈페이지(http://seoji.
nl.go.kr)와 국가자료공동목록시스템(http://www.nl.go.kr/kolisnet)에서 이용하실 수 있습니다.
(CIP제어번호 : CIP2018027406)

구름은 서西로
달은 동東으로

도곡동 절기서신

김기호 지음

한스컨텐츠

한꺼번에 모든 일이 일어날 수 없어 시간(時間)이란 흐름이 존재한다. 봄, 여름, 가을 그리고 겨울, 반복되는 계절의 흐름 따라 우리네 삶도 흘러간다.

돌아보니 삶이란 다시 돌아올 수 없는 역(驛)들을 지나치는 여행과 같았다. 춘분, 하지, 추분 그리고 동지, 절기(節氣) 따라 반복되는 일상(日常)을 따라 살다 보니 어느새 자라고 배우고 홀로 서고 결혼하고 부모가 되는 역들을 지나쳤고 육십갑자(六十甲子) 세월은 하늘 바람에 구름처럼 지나갔다.

햇빛에 바래면 역사(歷史)가 되고 달빛에 물들면 신화(神話)가 된다고 했다. 내가 마주했던 풍경(風景), 내가 겪었던 세월(歲月) 그리고 내가 만났던 인연(因緣)들 모두가 내 삶의 기억 속에 뚜렷한 역사로 남았거나 희미한 신화로 남아 있다. 그 역사와 신화 속에서 나 혼자만의 울타리 안에 남겨 두기에는 아쉬운 추(醜)하지 않은 격조(格調) 있는 이야기들을 옛 선비들처럼 삶의 흔적으로 남기고 싶었다.

부지이언(不知而言) 부지(不智)

지이불언(知而不言) 불충(不忠)

잘 알지 못하면서 떠드는 것은 지혜롭지 못한 것이요,

알면서도 말하지 않는 것은 마음에 충실하지 못한 것이다

—『한비자』

　여기에 남겨놓은 내 삶의 그림자와 발자국, 그리고 못다 한 꿈들은 그동안 지나치게 삶의 수단에 얽매여 쪼들린 마음으로 살았던 삶에서 벗어나, 내가 사랑하였고 사랑하고 싶었던 내 삶의 본질을 찾아가는 낭만적인 여정(旅情)의 편린이다.

　너무 큰 거대 담론은 부질없는 한탄이 될 듯하여 빠져들지 않으려 했다. 옛사람들의 글과 지혜를 빌려 이야기하다 보니 현학적(衒學的)인 사설(私說)이 되어버린 것은 아닌지 조심스럽다.

　여기 남겨진 글 조각들을 통해 누군가가 자신이 살아온 시간, 공간, 그리고 만남을 있는 그대로 돌아보고 사랑하고 그 속에서 자신만의 담백(淡白)한 맛과 멋을 조금이나마 기억해낼 수 있다면 내게는 부끄럽지 않은 작은 기쁨이 될 것이다.

무술(戊戌)년 여름, 강남(江南) 도곡(道谷)에서

김기호

차례

여름 夏

겨울
冬

봄
春

무술 입춘 중산간(重山艮)

오늘은 봄[春]이 임박했다[立]는 무술(戊戌)년 첫 절기 입춘이다.

남쪽 제주에는 겨울의 끝을 예고하는 카멜리아, 동백꽃이 지천으로 붉게 피었다지만 서울은 영하 10도를 넘나드는 매서운 추위가 입춘까지도 계속되고 있다.

『주역』 기준의 동지(冬至)가 지났고, 명리학(命理學) 기준의 입춘은 오늘, 천문학 기준의 음력 정월 초하루도 머지않으니 바야흐로 무술년이 시작되고 있다.

무술년의 천간(天干)은 무(戊)요, 지지(地支)는 술(戌)이다. '무'는 다섯 번째 천간으로, '정(丁)'에서 '장정(壯丁)'으로 성장한 것이 '무'에서 무성(茂盛)하게 옆으로 퍼져 나간다. 음양오행으로 '무'는 양토(陽土)에 해당하지만 여섯 번째 천간 '기(己)'에서 온전해지면서 음양(陰陽)의 교차가 일어나 열매를 잉태할 수 있는 음토(陰土)로 전환된다.

양토인 무토(戊土)는 광활한 대지에 해당하며, 토(土)의 색깔은 황색, 방

제주 동백

위는 중앙이다.

　'술'은 열한 번째 지지로, 유(酉)에서 열매가 잘 익었다면 '술'에서는 이 열매들을 거두어들인다. 이 열매를 지키는 동물이 바로 개[戌]다. 음양오행으로 양토에 해당하며, 절기는 상강(霜降), 하루의 시간은 (서울 기준) 저녁 7시 반에서 9시 반, 방위는 서북쪽이다.

　따라서 2018년 무술년의 상(象)은 천간으로 보면 '만물이 무성하게 옆으로 퍼져 나가는' + '광활한 황토 지대', 지지로 보면 '서둘러 열매를 거두려는' + '서리가 내리는 계절의 늦은 밤'에 해당한다. 하늘 기운은 때와 장소가 아직 충분히 준비되지도, 열매가 무르익지도 않은 상황인데 땅의 움직임은 조급하게 서둘러 열매를 거두려고 하는 모순된 상황이다.

　정유(丁酉)년이 시민들이 혼란에서 벗어나 세상을 바로 세우고 밝게 꾸

　　　　　　　　　　　___ 구름은 서로 달은 동으로

미기 시작한 시기라면, 무술년은 빨리 성과를 내려고 조급해하지만 아직 때가 무르익지 않아 열매를 얻기 어려운, 따라서 사회·경제·외교적으로 많은 어려움과 흔들림을 겪을 수밖에 없는 시기가 될 것 같다. 무술년은 '무'와 '술' 모두 양토로 『주역』의 중산간괘[重山艮卦, ䷳] 상이다.

간지야(艮止也) 시지즉지(時止則止) 시행즉행(時行則行), '간'은 그치는[止] 것이니 그쳐야 할 때 그치고 해야 할 때 하는 것이다.

중산간괘의 호괘(互卦) 속에는 북방 감수(坎水)와 동방 진뇌(震雷)가 감추어져 있다. 겨울[坎水]에서 봄[震雷]으로 가는 과정에서 북방에서 많은 어려움[坎水]을 만나고, 동방에서 시작된 흔들림과 고통[震雷]을 피하기 어렵다는 것을 암시하고 있다.

사불출기위(思不出其位), 자기 분수를 벗어나는 생각을 하지 않는다.

위정자들은 어설픈 정의로운 명분에 매달리지 말고, 시민들의 상태와 고민을 진솔하게 듣고, 무리하지 않은 지속 가능한 전략을 만들고, 조급한 성과에 연연해 졸속으로 추진하지 않아야 한다. 시민들 역시 우리 사회에 누적된 사회적·경제적 모순과 지정학적 한계를 공감하고, 멈출 때 멈추고 움직일 때 움직이며 천천히 함께 풀어 나가는 인내심을 보여야 할 때다.

대한민국은 아시아 대륙의 동북방(東北方), 『주역』 후천팔괘도(後天八卦圖)의 간방(艮方), 운종용(雲從龍) 구름이 용을 쫓아가는 자리에 위치한다.

산은 물을 건너지 못하고, 물은 산을 넘지 못한다.

간(艮)은 산이다. 산에 막혀 물러나[退=辶+艮] 지내며 한계[限=阝+艮]를 느낄 수밖에 없는 간방 삼한(三韓) 사람들의 마음[思]에는 이래저래 막힌 마음; 한[恨=心+艮]이 많이 생겨난다.

후천팔괘도에서 '간'은 북방 감수와 동방 진뇌 사이에 걸쳐 있다. 감수와 진뇌의 영향으로 간방의 사람들은 물[水]처럼 뛰어난 적응력을 가지고 있고, 천둥번개[震雷]처럼 대단히 일시적이고 즉흥적인 기질도 가지고 있다.

다음 주말이면 무술년 정월 초하루, 우리 설날이다.

물러나야 할 때 물러날[退] 줄 알고, 천시(天時)와 지세(地勢)에 따른 한계[限]를 알고, 그쳐야 할 것은 그쳐야[止] 여한[恨]이 없을 것이라고 중산간괘는 말한다.

무술년 환갑의 해를 맞이하여 지나간 60년을 차분히 반추하여 드러난 천문(天文); 운명의 흔적과 지문(地文); 살아온 삶의 궤적을 살펴보고 내일의 진퇴를 지혜롭게 점쳐야 할 때다.

인생 후반의 가장 젊고 아름다운 순간순간들을 회한 없이 행복하게 보내려면 말이다.

道谷@戊戌立春

___ 구름은 서로 닮은 동으로

정유 입춘 지화명이(地火明夷)

때늦은 대한(大寒) 추위가 정유(丁酉)년 설 연휴까지 꽁꽁 얼리더니 입춘이 다 되어서야 겨우 조금씩 풀리고 있다. 봄이 오는 것을 결코 막을 수 없는 것은 겨울의 숙명인가 보다. 멀리 남쪽 제주 산방산 자락에는 벌써 유채꽃이 피었다는 소식이다.

오늘은 일어서서[立] 봄[春]이 다가온다는 정유년 입춘이다.

양력으로 새해가 시작되면 늘 소한(小寒) 대한 추위가 몰려와 몸을 춥게 하고 새로 시작한 새해 업무의 고단함이 마음마저 차갑게 몰아칠 때쯤이면, 음력 정월 초하루 우리 설날이 다가와 심신(心身)을 잠시나마 훈훈하게 해준다.

설 보너스가 우리의 주머니를 잠시 두툼하게 해준다면 설 연휴는 우리의 마음을 며칠이나마 편안하게 위로해준다. 어린 시절처럼 새로 준비한 설빔은 아니지만, 올 설날도 멋진 옷 골라 입고 어김없이 '나의 살던 고향'으로 가족 나들이를 간다. 수명장수를 기원하는 하얀 가래떡, 복을 기원하는 만두를 넣어 끓인 강원도식 세찬(歲饌), 가벼운 안주와 세주(歲酒)를 앞에 놓고 모처럼 모인 가족들이 둘러앉아 해마다 했던 옛이야기로 다시 또 여전히 화기애애 맞장구치며 웃는다.

하늘의 변화로 낮이 길어지는 동지(冬至)가 하늘의 봄이라면, 하늘의 변화가 땅에 나타나는 입춘은 땅의 봄에 해당하고, 음력 정월 초하루 우리 설날은 사람 마음에 봄이 오는 사람의 봄임에 틀림이 없다.

천문학을 기준으로 음력 정월 초하루가 지났으니, 이제 정유년이 밝았다.

정유년의 천간(天干)[1]은 정(丁)이요, 지지(地支)[2]는 유(酉)다. '정'은 네 번째 천간으로 커서 장정이 된 모습으로, 음양오행으로는 음화(陰火)에 해당한다. 병신년의 병(丙)은 양화(陽火)로 태양 같은 강한 불이라면 정유년의 '정'은 음화로 달빛이나 별빛 혹은 등불 같은 약한 불에 해당한다. 정화(丁火)의 색깔은 붉은색, 방위는 남쪽이다.

'유'는 열 번째 지지로 잘 익은 열매를 상징하며 음양오행으로는 음금(陰金)에 해당한다. 병신년의 신(申)은 양금(陽金)으로 무쇠, 창칼 같은 강한 쇠[金]라면 정유년의 유(酉)는 음금으로 금은보석같이 가공된 작은 쇠에 해당한다. 절기는 추분(秋分), 시간은 (서울 기준) 오후 5시 반에서 7시 반, 방위는 서쪽이다.

따라서 2017년 정유년의 상(象)은 천간으로 보면 '한여름 밤의 달'이, 지지로 보면 '이른 저녁, 서방(西方)'으로 지는 또 다른 산하화(山下火)[3]의 모습이다. 병신년에 비하면 하늘 기운은 점점 약해지고 있으나, 땅의 기운

산방산 유채

은 응축하여 정리하는 가을 작용이 더욱 강해지고 있다.

산하화가 지고 나면 『주역』의 지화명이괘[地火明夷卦, ䷣][4]가 된다. 해가 지고 결국 밝은 것이 상(傷)하고 어진 사람들이 못난 임금을 만나 해(害)를 입었지만, 다시 밝은 것이 돌아오는 상(象)이다.

지화명이 괘상(卦象)처럼 모든 것이 원래의 제자리를 찾아가 초저녁 교교한 달빛[陰火] 아래 산과 바다의 보석[陰金]들이 평화롭게 빛나는 그런 정유년을 소망해본다.

되돌아보면 늘 사람 사는 일들은 기쁘고 화나고 슬프고 자랑스럽고 좋아하고 부끄럽고 욕심 부리는 일들의 철없는 반복이다. 이제는 비로소 이해되는 다 지나가는 것들이 그때는 왜 그렇게 내가 나를 힘들게 했는지, 나는 왜 그렇게 옹졸했어야만 했는지 부끄러워진다.

봄이 다가오는 시절[立春], 한강 남쪽 고을[江南] 매봉길 계곡[道谷]에서 새해 다짐을 해본다.

'아무리 힘들어도 정유년에는 부끄러워하고 두려워하며 사람답게 사람들을 사랑하며 살아야겠다'고.

NAH@丁酉立春

◇◇◇◇◇◇◇◇◇◇

1   천간은 갑(甲)·을(乙)·병(丙)·정(丁)·무(戊)·기(己)·경(庚)·신(辛)·임(壬)·계(癸)로, 하늘의 기운 변화를 표현한 것으로 하늘 기운의 사계절 변화에 따라 초목이 생장(生長) 수렴(收斂)하는 모습으로 표현하였다고 한다. '갑'은 봄에 씨앗[田]에서 뿌리가 나오는 모습을, '을'은 새로 나온 여린 싹이 땅을 뚫고 나오는 모습을, '병'은 초여름에 꽃이 활짝 피어 벌어진 모습을, '정'은 모든 것이 클 대로 큰 모습을, '무'는 성장을 완료하여 옆으로 무성하게 뻗는 모습이다. '기'는 완전히 분열하여 자기 모습을 갖춘 것을, '경'은 기운이 수렴으로 바뀌어 열매가 열리는 모습을, '신'은 열매를 맺은 모습을, '임'은 열매가 떨어져 새로운 생명을 잉태하는 모습을, '계'는 잉태한 생명을 내보내기 위해 봄을 기다리는 모습을 상징한다.

2   지지는 자(子)·축(丑)·인(寅)·묘(卯)·진(辰)·사(巳)·오(午)·미(未)·신(申)·유(酉)·술(戌)·해(亥)로, 하늘의 기운이 땅에서 구체화되는 모습을 표현한 것이다. 하루의 순환을 표현하기도 하고, 일 년 열두 달의 초목의 변화를 동물에 비유하여 표현하였다고도 한다. '자'는 씨앗을 의미하며 양기가 아직은 쥐처럼 작게 일어나는 모습을, '축'은 아직 묶여 있지만 기운이 소처럼 성장하는 모습을, '인'은 초목이 땅 밖으로 모습을 드러내는데 그 힘이 범처럼 강한 모습을, '묘'는 초목의 기운이 펼쳐지려는 모습으로 토끼처럼 귀를 열고 있는 모습이다. '진'은 초목의 기운이 진동을 하며 용처럼 용솟음치는 모습을, '사'는 기운이 가득 차올라 성숙한 모습으로 뱀처럼 현실적으로 돌아오는 모습을, '오'는 절정에 이르러 자라지 않는 모습으로 말처럼 양기가 극에 달한 모습을, '미'는 기운이 수축하여 열매가 생기지만 아직 맛이 들지 않은 상태로 말이 양처럼 작아지는 모습이다. '신'은 열매가 원숭이처럼 빠르게 익어가는 모습을, '유'는 열매가 맛있게 익는 시기로 정리하고 잠자러 가는 닭의 모습을, '술'은 열매를 수확하는 도구의 형상으로 개가 수확을 지키는 모습을, '해'는 열매를 먹고 비축하는 돼지의 모습을 상징한다.

3   병신년과 정유년의 납음(納音)오행(五行)은 모두 '산하화', 산 아래 불이다.

4   천간지지로 보면 정(丁)의 음화와 유(酉)의 음금이 합쳐 정유년은 화택규(火澤睽)괘로, 이녀동거(二女同居) 기지부동행(其志不同行)하여 '서로 등진다'는 규(睽)에 해당한다. '지화명이'는 지고 난 후의 모습이다.

___ 구름은 서로 닮은 동으로

병신 입춘 산하화(山下火)

33층 창밖을 비추는 화창한 햇살 아래 저 멀리 세마대(洗馬臺)와 수원 평야가 연무(煙霧)에 잠겨 있고, 내려다보이는 청명산 나무 빛깔에는 춘색(春色)이 스며 있다. 북극의 찬 공기가 밀려 내려와 한강을 얼어붙게 했던 보름 전의 대한(大寒) 추위는 벌써 오래전 일처럼 아득하다. 2016년도 벌써 입춘이다.

농경 시대 같으면 '입춘대길(立春大吉) 건양다경(建陽多慶)' 같은 입춘축(立春祝)을 쓰면서 새로운 한 해의 성공과 안녕을 기원하며 농사 준비를 시작하는 시기다. 『주역』에서는 낮이 길어지는 동지(冬至)를 한 해의 시작으로 보고 명리학(命理學)에서는 봄이 시작되는 입춘을 한 해의 시작으로 보지만, 천문학에서는 음력 정월 초하루를 새로운 한 해의 시작으로 본다.

아무튼 입춘이 지나고 설날이 지나면 병신(丙申)년이 시작된다. 2016년의 간지(干支)는 어째서 '병신'이어야 하고, 병신에는 어떤 의미가 숨어 있고, 그래서 우리는 어떤 새해 준비와 다짐을 해야 하는 것일까?

동북아시아에서는 하늘과 땅의 주기적인 변화를 오랫동안 관찰하여 그 속에서 우주와 자연의 운행 법칙을 발견하고 체계화하였다.

지구의 자전으로 생겨나는 새벽, 낮, 저녁, 밤; 달의 공전으로 생겨나는 그믐과 보름, 썰물과 밀물; 지구의 공전으로 생겨나는 봄, 여름, 가을, 겨울이 반복된다. 그리고 지구에서 가장 가까운 5개의 별[五星], 즉 수성(水星), 금성(金星), 화성(火星), 목성(木星), 토성(土星)이 하늘을 일주하여 다시 돌아오는 60년 주기의 반복을 관찰하여 우주와 자연이 주기적으로 순환하고 반복한다는 개념을 정립하였다.

이러한 순환 반복의 개념은 음양(陰陽)의 순환과 오행(五行); 겨울 수(水), 봄 목(木), 여름 화(火), 가을 금(金) 그리고 중앙의 토(土)의 상생(相生) 상극(相剋)의 변화로 발전하였다. 음양오행은 다양한 자연 현상과 만물의 성질을 관찰하여 음양오행으로 분류하는 이론적 체계를 완성하여, 우주와 자연을 설명하는 동북아시아의 철학적·수학적 사유 도구로 널리 사용되었다. 음양오행, 즉 동북아시아 사람들의 철학이자 수학은 천문(天文)을 바탕으로 한 명리학, 지리(地理)에 적용된 풍수학(風水學), 인체에 적용한 한의학(韓醫學) 등으로 발전하면서 동북아시아 사람들의 생활문화 속에 깊게 자리하게 되었다.

하늘 줄기, 천간(天干)은 일월(日月)과 오성(五星), 즉 칠정(七政)이 내뿜는 생기(生氣)의 변화를 사계절의 순환에 비유한 것이다. 봄에 씨앗에서 뿌리가 나오고[甲] 싹이 꼬불꼬불 자라서[乙] 여름이 되면 크게 자라고[丁] 가을에 열매를 맺고[辛] 새로운 씨앗이[壬] 겨울에 땅에 묻혀 다시 봄을 기다리는[癸], 즉 10단계 음양오행의 과정이다. '병'은 세 번째 천간으로 초

_ 구름은 서로 달은 동으로

입춘축

여름에 꽃[丙]이 활짝 피어 드러나는 모습을 상징한 것으로 음양오행으로는 양화[陽火: 강한 불, 태양], 색깔은 붉은색, 방위는 남쪽을 상징한다.

땅 가지, 지지(地支)는 땅이 하늘의 기운[天氣]을 받아 땅에서 구체적으로 형성되는 변화를 하루의 순환에 비유한 것이다. 한밤중에 하늘이 열리고[子] 밝게[卯] 해가 뜨고 낮을 거쳐 저녁에 해가 저물고[酉] 다시 씨[亥]를 만들어 다음 날을 준비하는, 즉 12단계 음양오행의 과정이다.

'신'은 아홉 번째 지지로 오후 4시쯤 만물이 가장 활발한[申] 모습을 상징하며, 음양오행으로는 양금[陽金: 무쇠], 시간은 오후 3시 반에서 5시 반, 방위는 서남쪽, 동물은 원숭이를 상징한다.

이러한 상징들을 조합해보면 2016년 병신년의 상(象)은 산하화(山下火); 천간으로 보면 '초여름의 태양'이 지지로 보면 '늦은 오후에 서남방'에서

산 아래로 지는 모습이다. 하늘 기운은 발산하는 여름 기운으로 무성하게 키우려 하지만, 땅의 움직임은 응축하는 가을 작용으로 정리하고 열매를 맺어 집으로 돌아가려 한다.

산하화는 『주역』의 산화비괘[山火賁卦, ䷕]에 가깝다.

불치불인(不恥不仁) 불외불의(不畏不義), 인(仁)하지 않으면서도 부끄러워할 줄 모르고 의(義)롭지 않으면서도 두려워할 줄 모른다.

그런 죄인들이 결국 화뢰서합괘[火雷噬嗑卦, ䷔]에서 단죄(斷罪)되고 난 이후, 세상이 바로 서고 사람들이 다시 세상을 밝게 꾸미게 되는[賁] 상이다.

뜨거운 태양이 내리쬐는데 그 아래 무쇠는 뜨겁기만 하니, 하루빨리 용광로를 거쳐 절차탁마(切磋琢磨)하는 대장장이의 손을 거쳐야 한다. 용광로와 대장장이, 즉 기회는 태양에서 오고 열매는 서남쪽에서 맺힌다.

이런 때일수록 욕심 부리지 말고 본립이도생(本立而道生), 근본에 충실하면 나아갈 길이 저절로 드러나 보인다.

주말이 지나면 병신년 설날이다. 작심삼일(作心三日)로 끝난 2016년 새해 다짐이 있다면 다시 한 번 붙잡아보면 어떨까?

넘어지는 것이 실패가 아니라 일어나지 않는 것이 실패다.

NAH@丙申立春

___ 구름은 서로 닮은 동으로

눈이 녹아 비가 올라나,
얼음 녹아 물이 될라나

평창 올림픽 개막식, 구슬픈 「정선아리랑」의 여운이 아직도 뭉클하다.

눈이 올라나 비가 올라나 억수장마 질라나 만수산 검은 구름이 막 모여든다
앞 남산 딱따구리는 참나무 구녕도 뚫는데 우리 집 저 멍텅구리는 뚫어진 구
녕도 못 뚫네
삼사월 긴긴해에 세끼 굶고는 살아도 동지섣달 긴긴밤에 임 없이는 못 살아
아리랑 아리랑 아라리요 아리랑 고개고개로 날 넘겨주게

음력 1월, 우리가 보통 정월(正月)이라고 부르는 달은 지지(地支)로 보면
인(寅)월에 해당한다. 동짓달 자(子)월에 쥐[子]만 하던 양기(陽氣)가 섣달 축
(丑)월에 소[丑]만큼 자라고, 정월 인월이 되면 호랑이[寅]처럼 강하게 움직
인다. 하지만 '인'은 목중지화(木中之火), 비록 솟아오르는 의지는 불[火]처
럼 강하여 껍질을 깨고 나오지만 아직은 작은 싹[木]에 불과할 뿐이다. 아
직은 북동(北東)을 벗어나지 못해 음기(陰氣)가 더 강하고 추위가 남아 있

평창 올림픽 성화대

어, 땅[丑土]속에 숨어 밖으로 드러나지 않게 싹을 키우며 뜻을 펼칠[演]
시기를 좀 더 기다려야 한다.

오늘은 눈이 녹아 비[雨]가 되고, 얼음이 녹아 물[水]이 된다는 우수다.
하늘의 변화는 동지(冬至)에 이미 시작되었지만 땅에 그 변화가 누적되어
드러나는 데는 시간이 필요하다. 이제 겨우 눈이 녹아 비가 되고 얼음이
녹아 물이 되고 있다.

지난 주말 연휴에 까치[5] 설날과 설날이 지났다.

음력 12월을 우리가 섣달이라고 부르는데, '설이 들어 있는 달'이라는
의미의 설달이었는데 발음이 '섣달[6]'로 변한 것이라고 한다. 조선 시대 초
기까지도 음력 12월 섣달그믐에는 한 해를 정리하며 조상에게 감사의

제사를 지내는 등 다양한 풍속이 있었는데, '한 해를 설엊는 날'이라는 의미로 설날이라 불렀다고. 요즘 말로 하면 설거지하는 날로, 한 해의 마지막 날이 가기 전에 빚진 돈이나 빌린 물건은 모두 갚고 돌려주어야 했다고 한다. 조선 성종 12년(1481) 『두시언해』가 편찬될 시기만 해도 섣달그믐을 설이라 부른 기록이 남아 있고, 경주·울산 인근 지역에는 최근까지도 섣달그믐을 설로 쇠는 풍습이 남아 있었다고 한다. 하지만 조선시대 후기 중국의 시제(時祭)를 본받아 차례가 도입되면서 섣달그믐의 설 제사가 정월 초하루로 넘어가게 되었고, 섣달그믐은 작은 설날, 즉 까치설날로 바뀌었다고 한다.

암하노불(巖下老佛), 큰 바위 아래 부처님처럼 어질고 인자한 사람들이 사는 땅 강원도(江原道) 평창에 겨울 올림픽이 한참 뜨겁게 열리고 있다.

평창 올림픽의 개막식은 한반도의 전통문화와 미래 기술이 어우러진 한 편의 세련된 드라마였다.

오행(五行)을 상징하는 다섯 어린이가 청, 적, 황, 백, 흑의 옷을 입고 등장하고 단군 신화, 고구려 벽화, 신라·백제·고려·조선의 자랑스런 문화유산들이 조형물과 증강 현실을 통해 차례로 펼쳐졌다. 바닥 전체를 LED 화면으로 만들고, 관중석에도 LED판을 설치하여 개막식장 전체를 화면이자 무대로 만들었다. 1,218대의 드론을 강한 산바람이 부는 평창 하늘에 띄우고, 통신 기술로 조정하여 보드 타는 모습과 오륜기(五輪旗)를 만들어 보인 것은 정말 과감한 시도였다.

한반도 7,500만 명을 상징하는 7,500명의 주자를 거쳐 전국 방방곡곡

2,018킬로미터를 돌고 돌아 개막식장에 도착한 성화가 두 사람의 남북한 여자 아이스하키 선수들에게 전달되고, 성화대로 연결된 LED 디스플레이 사이에 계단이 홍해 갈라지듯 만들어진 것도 상상력이 돋보인 연출이었다. 그리고 성화대 아래 차분한 모습으로 기다리던 김연아 선수가 짧지만 우아한 스케이팅을 마치고 '백자 달 항아리' 성화대에 점화하는 모습 또한 멋진 마무리였다. 화려한 순백의 의상을 입은 동화 속 요정같이 아름다운 피켓 걸들의 화사한 미소와, 그 옆에 청사초롱을 든 꼬마들의 깜찍한 모습도 선수단 입장식의 지루함을 덮어준 훌륭한 볼거리였다.

쇼트트랙, 스켈레톤, 스피드 스케이팅, 컬링 등에서 최선을 다하는 모습을 보여주며 이 겨울 마지막 추위를 잊게 해주는 대한민국 동계 올림픽 선수들과 전 세계 모든 동계 올림피안, 그들이 흘린 땀과 꿈을 향한 열정에 '그동안 정말 수고했다'는 눈물 어린 갈채를 보내고 싶다.

평창 올림픽 마스코트 호랑이[寅], 수호랑의 치열하게 솟아오르는 목(木) 기운으로 이 겨울[水]의 끈질긴 추위를 결국 극복하듯 눈과 얼음이 녹아내리는 '화해와 평화의 봄소식'이 한반도에 다시 가득하기를, 그리고 멋진 폐막식 공연으로 다시 뭉클한 감동이 넘쳐나기를 기대해보자.

道谷@戊戌雨水

◇◇◇◇◇◇◇◇◇◇

5 까치는 우리말로 '작다'는 의미를 가지고 있고, 아차산의 아차 역시 '작다'는 의미를 가지고 있다. '작다'는 우리말 '앗' 혹은 '앛'은 아우, 아재비, 강아지 등에 남아 있다. '앛'이 변하여 '아차'가 되었고, '아차'가 변하여 '까치'가 되었단다.
6 '이틀+날'이 '이튿날'로, '술+가락'이 '숟가락'으로 바뀐 것과 같은 변화다.

봄은 온다

봄은 온다

서러워 마라

겨울은

봄을 위하여 있는 것

잿빛으로 젖어 있던

야윈 나뭇가지 사이로

수줍게 피어나는

따순 햇살을 보아

— 홍수희, 「봄은 온다」

맥없이 우중충하기만 하던 겨울 햇살은 어느새 사라지고 찬 기운이
가신 봄바람과 화사해진 봄 햇살이 거리를 생기 있게 바꾸고 있다.

봄을 시샘하는 추위가 여전히 주말마다 몰려오지만, 씩씩하게 북상하

부럼과 진채

는 봄은 막지 못한다. 오늘은 눈이 그치고 비[雨]가 내리기 시작하며, 얼음이 녹아서 물[水]이 된다는 우수다.

요즘 들어 식탁에는 부쩍 봄나물 반찬과 봄나물 국이 자주 오르고 있다. 온실에서 재배한 봄나물들이지만 식욕을 잃기 쉬운 봄날의 미각을 톡톡히 자극하고 있다.

『동국세시기』에 따르면 입춘(立春)에는 경기도 산골 지방 여섯 고을에서 움파, 산겨자, 승검초 등을 임금에게 진상하였다고 한다. 예로부터 정월 대보름; 상원(上元)에는 절식(節食)으로 찰밥을 지어 대추·밤·기름·간장·꿀 등을 섞은 다음 다시 쪄서 잣과 버무린 약밥[藥飯]을 해 먹거나, 오곡밥을 지어 서로 나누어 먹었다. 또한 대보름 이른 아침에는 날밤·호

두·은행·잣·무 등을 깨물면서 '일 년 열두 달 동안 평안하고, 부스럼 나지 않게 해달라'고 축원하는 부럼 깨물기[嚼癤]를 하였다. 박·오이·버섯 등 각종 채소 말린 것과 콩·호박·순무 등을 저장해둔 것을 묵은 나물; 진채(陳菜)라 하는데 역시 대보름을 전후해서 조리해 먹었다.

입춘과 정월 대보름[上元]에 눈 녹은 들판에서 갓 캐온 나물들이나 가을에 말려 저장해두었던 묵은 채소들을 먹는 풍습들은, 겨우내 부족했던 미네랄을 채워 오미(五味)[7]의 균형을 맞춰 건강하게 새해를 시작할 수 있게 하는 옛사람들의 지혜가 담긴 음식 문화다. 동양 의학의 고전인『황제내경』에 의하면 사람의 몸은 크게 네 가지 기운; 태양계의 운행에 따라 반복되는 하늘 기운 오운(五運)의 변화, 춘하추동 사계절에 따른 땅의 기운 오기(五氣)[8]의 변화, 우리가 매일 삼시 세끼 섭취하는 오미의 기운 그리고 사람의 몸과 마음을 다스리는 오장(五臟) 육부(六腑)의 기운 변화와 균형에 의해 우리의 건강이 좌우된다고 하였다.

철을 아는 옛 성인들은 우수가 되면 하늘의 천문과 땅의 풍수를 관찰하여 그해의 오행과 육기의 기운을 판단하고, 기운의 변화에 따른 사계절의 기후 변화를 예측하여 그해 농사의 길흉과 예상되는 질병의 흐름에 대비하였다. 동지(冬至) 이후 60일이 지나 우수가 되면 양기(陽氣)가 삼분의 일 정도 차오르는 소양(少陽)에 도달하는데, 그 기운의 형성이 평년보다 빠르면 태과(太過), 늦으면 불급(不及)으로 판단하여 그해의 오기; 풍(風)·한(寒)·서(暑)·습(濕)·조(燥)의 강약(强弱)을 예측하였던 것이다.

정월[寅月]에 범[寅]처럼 솟아오르는 양기는 하늘에서는 바람[風]을 일으키고, 땅에서는 나무[木]가 자라게 한다. 바람을 맞은 나무에서는 신맛

[酸味]이 있는 식물(食物)이 나오고, 이 신맛은 간(肝)의 기운을 보충하고, 간은 눈과 근육의 작용을 강화하고, 간의 기운은 목생화(木生火) 심장의 작용을 일으킨다. 바야흐로 발진하는 봄의 양기가 계절에 맞게 우리 몸에 활력을 불어넣어 새로운 한 해를 힘차게 시작할 수 있게 해주는 것이다.

남쪽 나라 타이완에는 벌써 벚꽃놀이가 한창이고, 제주 서귀포에는 지금 매화 향기 가득하니 여기 강남(江南)에도 머지않아 기다리던 봄꽃 소식이 다시 들려올 것이다.

여림심연(如臨深淵) 여리박빙(如履薄氷), 마치 깊은 물가에 다가가듯 얇은 얼음을 밟듯 초봄엔 바깥나들이를 조심해야 한다. 응달에 채 녹지 않은 잔설(殘雪)과 낙엽 밑에 숨어 있는 깜장 얼음을 조심하고, 얼음이 녹아 흐물거리는 깊은 물가 둔덕이나 엉성한 축대 부근도 가급적 피해야 한다.

정월에는 첫 자(子)·진(辰)·오(午)·해(亥)일은 신일(愼日)이라 하여, 음력 5, 8, 14, 23일은 패일(敗日)이라 하여, 16일은 기일(忌日)이라 하여 야외 활동을 자제하고 조심하는 날들이 유난히 많다. 또한 밤이 어두운 상현(上弦)·하현(下弦)에도 내왕하는 일을 꺼렸는데 변덕스런 맹춘(孟春)의 한풍(寒風)과 안전사고로부터 몸을 지키려던 옛사람들의 지혜는 아니었을까?

NAH@丁酉雨水

◇◇◇◇◇◇◇◇◇◇

7　신맛[酸, 木], 쓴맛[苦, 火], 단맛[甘, 土], 매운맛[辛, 金], 짠맛[鹽, 水]의 음식물들을 말하며, 오미는 각각 오장; 간장[肝]·심장[心]·비장[脾]·폐[肺]·신장[腎]의 기운을 보충한다.
8　풍·한·서·습·조와 같이 계절에 따라, 다양한 지역의 특성에 따라 변화하면서 사람의 건강에 영향을 끼치는 기운들을 오기라 하고, 여기에 사람의 마음 활동을 주관하는 기운, 화(火)를 포함시켜 육기(六氣)라 한다.

춘래불사춘(春來不似春)

며칠 전 가는 겨울을 아쉬워하며 내렸던 함박눈이 어느새 녹아 사라졌다. 오늘은 눈이 녹아서 비[雨]가 되고, 얼음이 녹아서 물[水]이 된다는 우수다.

입춘이 '봄[春]'이 일어섰다[立]'는 선언이라면 우수는 '봄이 오고 있다'는 선언이다. 뼈를 파고드는 찬바람보다는 차라리 뜨거운 오뉴월 땡볕을 선호하는 나 같은 소음인(少陰人)에겐 '이젠 지긋지긋한 겨울이 끝났다'는 반가운 소식이다. '우수 경칩에 대동강(大同江) 물이 풀린다'고 했다. 북쪽 대동강에도 봄이 찾아왔으니 한반도 전체에 봄기운이 완연해졌다는 것이다.

하필(何必) 한반도 북쪽 끝에 있는 압록강도 아니고 그 아래 청천강도 아니고 대동강 물이 풀려야 하는 이유는, 겨울의 모진 기운이 사라지면 봄의 원만한 기운과 함께 대동(大同) 세상이 시작되길 꿈꾸는 백성들의 염원이 숨겨져 있다.

공자는 "대도가 행해져[大道之行] 천하가 모든 사람에게 공평[天下爲公]한 세상"을 '대동'이라고 했다. 세상이 어지러울 때 우리 조상들은 대동계(契)를 만들고 대동굿을 하고 대동놀이를 하면서 이상적이고 평강(平康)한 대동 세상을 꿈꾸었다.

하지만 요즘의 세상은 대동 세상과는 점점 멀어지는 것처럼 보인다.

2014년에 맥킨지는 보고서를 통해 "30년 동안의 지구촌의 유례없는 호황은 이제 끝이 났다"고 선언했다. 2차 세계대전과 한국전쟁 이후, 우리 같은 '베이비 붐 세대'들이 이끌었던 세계 경제 성장이 베이비 붐 세대들의 은퇴와 함께 끝나가고 있다는 것이다.

찰 영(盈) 기울 측(昃), 차면 기우는 것이 자연법칙임을 실감하게 한다. 지구촌은 베이비 붐 세대 늙은이로 넘쳐나는데, 일자리를 구하지 못한 젊은이들도 넘쳐나고 있다. 수요는 줄어드는 데 공급은 넘치면서 일자리는 사라지고 이젠 디플레이션을 걱정해야 하고 기업과 국가 간의 경쟁은 총성 없는 전쟁이 되었다. 그것이 음모(陰謀)의 산물 필연(必然)이었든 우연(偶然)이었든 그렇게 2014년 하반기부터 시작된 세계 경제의 침체는 매우 심각하다. 러시아의 우크라이나 침공을 응징하기 위해 시작된 미국의 셰일 가스 수출은 유가 하락, 원자재 가격 하락, 신흥국 경기 침체, 취약 국가 부도 위기, 금융 자본 회수, 미국·유럽·중국·일본 등의 통화 전쟁으로 번지고 있다.

한반도의 상황도 아주 심상치 않을 뿐 아니라 아주 걱정스럽다. 전자, 자동차, 제철 등의 분야에서 대한민국을 대표하는 기업들도 걷잡을 수 없는 매출 하락, 이익 감소, 경쟁력 약화에 미래(未來)를 걱정하고 있다. 하

방화수류정

지만 철없는 사류 정치권은 온통 싸움판이다. 야당은 친×, 반× '당파 싸움', 여당은 진×, 잡×, 비×들의 '박(朴)타령'에 정신이 빠져 있는데, 북쪽에서 불어온 난데없는 '핵(核)타령'에 한반도 주변은 온갖 신무기(新武器)들이 난무(亂舞)하며 이 땅의 백성들을 불안하게 하고 있다.

춘래불사춘(春來不似春), 저 남쪽에서 봄이 오고 있으나 우리가 느끼는 봄은 이래저래 아직 봄이 아니다.

동지(冬至)부터 낮이 길어져 일조량이 늘고 있지만, 몸으로 느끼는 바람이 아직 차갑다. 속은 양(陽)이요 겉은 음(陰)이다. 그래서 봄은 사상(四象)으로 보면 소음이다. 침착하고 여유 있게 생활하여 양기(陽氣)를 기르고 풍(風)으로부터 몸을 보전해야 하는 시기다.

봄 __ 우수

다가오는 월요일은 정월 대보름이다. 정월 대보름이면 망우리[望月]에 불 붙여 돌리며 서장대(西將臺)며 방화수류정(訪花隨柳亭) 일대를 싸돌아다니던 철없던 시절이 엊그제 같다. 분명 춥고 배고팠던 어린 시절이었는데 기억에 남은 과거는 언제나 행복이요, 내 고향 수원은 어디나 낙원이었다.

나의 살던 고향은 꽃피는 산골
복숭아 꽃 살구 꽃 아기 진달래
울긋불긋 꽃대궐 차린 동네
그 속에서 놀던 때가 그립습니다

— 이원수, 「고향의 봄」

나의 살던 고향 수원에도 대동은 아니지만, 봄이 다시 오고 있다.

NAH@丙申雨水

　　　　　　　　　 구름은 서로 닮은 동으로

좋은 놈, 나쁜 놈, 이상한 놈

겨우내 숨죽였던 캠퍼스 노란 잔디와 살구나무 가지들이 생기(生氣)를 머금고 깨어나고 있다. 햇빛이 화창하게 쏟아지는, 기다리고 기다리던 상쾌한 봄이 드디어 모습을 드러내고 있다.

오늘은 겨울잠[蟄]에서 깨어난[驚] 벌레들이 모두 움직여 밖으로 나온다는 경칩이다.

입춘(立春) 지나 우수(雨水) 경칩으로 접어들면 양기(陽氣)가 좀 더 차오르면서 천지(天地)의 괘상은 지택임괘[地澤臨卦, ䷒]에서 지천태괘[地天泰卦, ䷊]로 바뀌어 음양(陰陽)이 화합하여 새로운 변화의 기운이 넘쳐나는 본격적인 봄, 중춘(仲春)으로 접어든다.

지천태괘는 위는 삼음(三陰) 곤(坤)괘로 나뭇가지는 여리고 부실하나, 아래는 삼양(三陽) 건(乾)괘로 나무뿌리로부터 탄탄하게 양기가 차오르는 상(象)이다. 아직 겉모습까지 변(變)하지 않았으나 위로 올라가려는 아래 천양(天陽)의 기운과 아래로 내려오려는 위 지음(地陰)의 기운이 만나고 화합하게 되어, 태평(泰平)한 기운이 천지만물을 감싸 안는 아름다운 괘상(卦象)이다.

옛사람들은 지천태괘를 보고 상하교이기지동(上下交而其志同), 위아래가 서로 교류하여 그 뜻을 같게 하였다.

1952년 미국의 선구적인 뇌 과학자 폴 매클린은 "인간의 뇌는 파충류의 뇌, 포유류의 뇌 그리고 영장류의 뇌로 진화하고 구성되어 있다"라고 발표했다.

파충류의 뇌라 불리는 뇌간(腦幹)은 뇌의 가장 안쪽에 존재하며 호흡, 심장, 체온 조절 등 생명 유지 활동에 필요한 기본 기능을 담당하는 가장 '원시적인 뇌'다.

포유류의 뇌라 불리는 변연계(邊緣系)는 느낌, 감정, 성욕, 식욕 같은 상황이나 환경에 대해 반사적으로 순간적으로 반응하고 표현하는, 통제하기 어려운 '정직한 뇌'다.

영장류의 뇌라 불리는 가장 늦게 진화한 대뇌 신피질(新皮質)은 파충류의 뇌와 포유류의 뇌를 둘러싸고 있는 뇌다. 가장 고차원의 지각, 분석, 판단 등을 책임지는 '지적인 뇌'로, 우(右)반구는 창의적·직관적 역할을 담당하는 반면 좌(左)반구는 분석적·이성적 역할을 담당한다. 영장류의 뇌는 생존을 위해 다른 사람을 속일 뿐 아니라 때로는 담배, 마약, 술 같은 '뇌'가 좋아하는 것을 지속하기 위해 교묘하게 합리화하여 숙주(塾主)인 인간을 조종하려 한다. 인간 뇌의 활동 결과로 나타나는 감정, 생각과 판단은 사실 생존을 위해 필요한 '나의 일부분'에 불과한데 보통 사람들은 이 '나의 일부분'을 '진짜 나'와 동일한 것으로 착각한다고.

___ 구름은 서로 닮은 동으로

봄에 지는 겨울 꽃

영장류의 뇌, 대뇌 신피질은 인간을 가장 인간답게 하는 중요한 뇌에 해당하지만, 신피질의 기능이 너무 활성화되면 인간은 '과거를 분석하고 미래를 걱정하는 것'에 매달려 정작 지금(只今)에 집중하여 삶을 즐기지 못하고 미래만 준비하느라 현재를 잃어버린 불행한 삶에 빠지게 된다. 영장류의 뇌, 대뇌 신피질이 제 기능을 못하게 되면 '감정의 뇌'라 불리는 포유류의 뇌, 변연계의 원초적인 반응; 느낌, 감정, 욕망에 휘둘려 잠시 인간이 아닌 포유류, 개나 말로 전락하고 만다.

무심이오즉위지과(無心而誤則謂之過) 유심이위즉위지악(有心而爲則謂之惡), 모르고 저지른 실수는 잘못 또는 과오(過誤)라 하지만 의도를 가지고 저지른 행동은 악행(惡行)이라 한다.

#MeToo

포유류로 퇴화한 찌질한 삼류(三流) 개저씨들이 자신들의 권력을 남용하며 그동안 저질러놓은 악행들이 만천하에 썩은 냄새를 뿌리며 추한 몰골을 드러내고 있다.

'부귀와 권력을 가졌을 때 무엇을 하는지'를 보고 '가난하고 궁지에 몰렸을 때 무엇을 하지 않는지'를 보면 그 사람이 정말로 어떤 사람인지 알 수 있다고 하였다.

소지시(少之時) 혈기미정(血氣未定) 계지재색(戒之在色)

급기노야(及其老也) 혈기기쇠(血氣旣衰) 계지재득(戒之在得)

젊어서는 혈기가 안정되지 못하여 절제력이 부족하니 본능적 욕망, 색(色)을 조심해야 하고

늙어서는 혈기가 쇠약하여 이를 보상하려는 재물과 명예에 대한 탐욕[得]을 조심해야 한다

— 『논어(論語)』

지혜로운 사람들은 처지(處地)와 시류(時流)를 보며 경계해야 할 것들을 알았고 필신기독야(必愼其獨也), 혼자 있어 남이 보지 않을 때 더욱 조심하였다.

참을 수 있는 것을 참는 사람은 좋은 놈, 참을 수 있는 것도 못 참는 사람은 나쁜 놈, 정말 참을 수 없는 것도 참는 사람은 이상한 놈이다. 혹시라도 '나쁜 놈'들이 나쁜 짓을 계속할 수 있도록 용기 없는 '이상한 놈'들이 방관, 방조하지는 않았는지 함께 반성해볼 일이다.

___ 구름은 서로 닮은 동으로

누가 누구에게 돌을 던질 수 있으랴마는, 그럼에도 불구하고 사라져야 할 이 땅의 '인간 포유류, 나쁜 놈'들을 깨끗이 쓸어내는 컬링 주문을 힘차게 외쳐야 할 때다. "영미~ 영미~ 영미~."

道谷@戊戌驚蟄

|

변하지 않는 마음

양지바른 산과 들에는 겨울잠에서 깨어난 들풀과 나무에 봄기운이 완연하고, 차가웠던 동해(東海)의 겨울 바다도 이제 다시 온화(溫和)한 봄 바다로 돌아오고 있다.

오늘은 동식물들이 겨울잠[蟄]에서 깨어난다[驚]는 봄의 세 번째 절기, 경칩이다.

동지(冬至)가 지나면 사상(四象)은 태음(太陰)에서 소음(少陰)으로 바뀌어 겉은 아직 음(陰)으로 차갑지만, 낮이 길어지면서 땅속은 양(陽)으로 바뀌며 따뜻해진다.

우수(雨水)가 지나 대동강 물도 풀리고, 산과 들의 언 땅도 녹기 시작하면 땅속에 싹을 숨기고 있던 용감한 야생초(野生草)들이 맨 먼저 바깥으로 솟아 나오고 양력 3월 경칩 전후(前後), 음력 2월 묘(卯)월이 시작되면 초목[靜]은 토끼처럼 귀를 열고 기운을 옆으로 펼치고 동물[動]은 기지개를 켜고 땅 바깥으로 튀어나오기 시작한다.

봄[春]은 모든 것을 있는 그대로 받아들이고 뛰어놀게 한다. 그렇게 봄은 인자(仁慈)[9]하다.

유가(儒家)에서는 사람의 마음에는 변하지 않는 마음과 변하는 마음이 함께 있다고 생각한다. '변하지 않는 마음'은 모든 사람에게 똑같은, 변하지 않는 하늘[天]의 마음으로 모두를 나와 같이 여겨 이해하고 사랑하고 도와주는 마음이다. 이 '변하지 않는 마음'을 따르는 것이 인(仁)이다. '변하는 마음'은 사람에 따라 다른 사람[人]의 마음으로 자신의 생존과 안위(安危)만을 챙기는 이기적인 마음이다. 이 '변하는 마음'들이 충돌할 때 이 세상은 악(惡)하고 어지러워진다. 하늘에서 부여받은 사람의 본성; 성(性)이 움직여 뜻[意]이 되고 뜻이 마음[情]으로 나타나는데, 그중 격(格)이 떨어지는 아류[亞]의 마음[心]이 악[惡=亞+心]으로 나타난다.

예자 금어장연지전(禮者 禁於將然之前) 법자 금어이연지후(法者 禁於已然之後), '변하는 마음'들이 충돌하는 것을 미리 예방하기 위해 만들어낸 것이 예(禮)라면 충돌해서 이미 생겨난 문제를 바로잡는 것이 의(義)요, 제도화된 것이 법(法)이다.

'변하지 않는 마음'을 유지할 수 있는 능력이 덕(德)이고 덕을 지켜 '인' 한 마음으로 살아가는 것이 도(道)를 따르는 것이다. '변하는 마음'과 '변하지 않는 마음'을 헤아려 도덕을 지킬 수 있는 것이 지(智)다.

옛 성인들은 '변하는 마음'을 멸(滅)하고, 오직 '변하지 않는 마음'을 깨닫고 붙잡기 위해 경(敬)을 실천하고, 선(禪)에 매달리고, 명상(冥想)하고 혹

동명해수욕장 봄 바다

은 묵상(默想)하였다. 에고(Ego)를 만들어내는 좌뇌(左腦)가 멈출 때, 번뇌가 멈추고 나[I am]는 사라진다. '우뇌(右腦)의 에너지'만 존재하는 시간, 우아일체(宇我一體); 우주와 하나가 되고 니르바나[Nirbana, 열반涅槃], 변하지 않는 마음의 길 도를 발견하게 된다.[10]

봄이 오는 광장에 촛불의 함성과 태극기의 고함이 엇갈리고 끓어넘치고 있다. '인'과 '예'는 사라지고 이젠 '법'마저 위협하는 소리가 들린다.

어떤 이는 "나와 같은 것은 옳고, 나와 다른 것은 틀리다" 하고 그 어떤 이는 다시 "나와 같은 것은 좋고, 나와 다른 것은 싫다" 편을 가르고 있다.

하지만 그들 대부분은 '다른 그것'에 대해 정확히 알지도 못하고 있고,

어찌해서 '다른 그것'에 도달하게 되었는지 한 번도 들어보려 하지도 않았다. 나와 다른 것들에 대해서는 그냥 눈을 감고 귀를 닫고 오직 자기가 보고 싶은 것만 보려 하고, 듣고 싶은 것만 들으려 했을 뿐이다.

더 성숙한 사회, 더 격이 있는 사회로 발돋움하기 위해서는 나와 다른 것을 '옳다 그르다, 좋다 싫다' 반목하지 않고 있는 그대로 '그냥 나와 다르다'고 인정해줄 수 있는 여유(餘裕)가 있어야 한다.

백화제방(百花齊放)하는 봄이 있어 자연은 다양해지고 진화(進化)한다.

창밖 도곡(道谷) 매봉산 위로 봄 햇살의 포근한 기운이 내려앉고 있다. 나는 우전(雨前)차의 향기에 취해 창가 소파에 나른하게 기대앉아 온 나라가 '좌뇌의 나'를 멈추고 하나가 되는, 춘몽(春夢)을 꾸어본다.

NAH@丁酉驚蟄

◇◇◇◇◇◇◇◇◇◇

9 인(仁)은 사람 '인(人)'과 두 '이(二)'를 합한 것으로 '모든 사람에게 공통된 변하지 않는 마음'을 의미하며, 자(慈)는 이 '자(玆)'와 마음 '심(心)'을 합한 것으로 '다른 사람의 마음'을 헤아리는 것을 의미한다.

10 TED에서 "My stroke of insight" by Dr. Jill Bolte Taylor를 꼭 한번 보기 바란다.

별 먼지, Star Dust

지난 주말에는 마지막 영하의 추위가 심술을 부리고 함박눈까지 쏟아 져 내리더니, 3월에 들어서자 화창한 햇살 아래 봄기운이 정말 완연해졌 다. 오늘은 동식물들이 겨울잠에서 깨어난다는 경칩이다.

경칩은 원래 깨어날 계(啓), 겨울잠 칩(蟄)의 '계칩(啓蟄)'인데, 한 무제의 이름인 啓(계)를 피휘하여 놀랄 驚(경) 자를 쓰면서 경칩이 되었다고 한다. 경칩이 되면 겨울잠을 자던 개구리도 나오고, 땅속에 웅크리고 있던 벌 레들도 꿈틀대고, 식물들도 완전히 겨울잠을 깨어 본격적으로 움직이는 동(動)적인 봄이 시작되는 시기다.

옛사람들은 경칩 이후에는 갓 나온 풀이나 벌레들이 상하지 않도록 들에 불을 놓지 않았다. 작은 벌레나 들풀 같은 작은 생명들도 소중하게 생각하고, 자연과 계절의 순리(順理)를 따르는 배려와 지혜였다.

사실 이 지구상의 모든 존재; 사람과 동물과 나무, 벌레와 들풀 그리고 산과 바다의 모래 하나하나까지도 우주의 영겁을 간직한 Star dust; 별

봄 들판

먼지로 만들어진 경이로운 존재들이다.

　태양이 헬륨 융합을 다 끝내고 나면 거대한 탄소 덩어리, 큰 다이아몬드만 남는다고 한다. 태양의 질량보다 수십 배가 넘는 큰 별들은 탄소 융합이 다 끝나고 나면 중력을 못 이기고 수축하여 초신성(超新星)이 되어 폭발하는데, 이때 철보다 무거운 중금속 원소들이 생성된다고 한다. 우리가 속한 우리 은하에서 혹은 '우리 은하' 저편 성운들에서 수많은 별이 생명을 다하고 초신성이 되어 폭발한 그 잔해들이 수억 년에 걸쳐 우주로 퍼져 나가다 태양계에 도달한 '별 먼지'들이 우리의 밥상 위에, 우리의 뼈와 살과 피 속에, 우리 눈앞에서 솟아나는 들풀 하나, 기어 다니는 벌레, 바닷가 모래 한 알에도 담겨 있는 것이다.

　그렇게 우리 앞에 펼쳐진 모든 것은 경이롭고 소중하다.

To see an universe in a grain of sand

And a heaven in a wild flower,

Hold infinity in the palm of your hand,

And eternity in a second.

한 알의 모래에서 우주를 보고

한 송이 들꽃에서 천국을 보며

당신의 손바닥에 무한을 품고

순간에서 영원을 붙잡는다

— 윌리엄 블레이크, 「순수를 꿈꾸며」

경칩이 지나면 남쪽에서부터 매화, 산수유, 유채 같은 초봄에 피는 꽃 소식이 들려오고, 사람들은 겨울의 웅크림에서 벗어나 설레는 마음으로 들로 산으로 움직인다. 하지만 아직은 땅속에 숨었던 겨울 수기(水氣)가 봄볕에 풀려 솟아오르며 찬바람을 일으키고 봄 안개를 만들어내는 절기다. 그래서 옛 속담에 '겨울옷은 일찍 입고 늦게 벗고, 봄옷은 천천히 입으라'고 하였다. 서둘러 겨울옷을 정리하다 가는 감기에 걸려 고생하기 안성맞춤인 계절인 것이다.

하루는 지구가 한 번 자전하고, 한 달은 달이 지구를 한 번 공전하고, 일 년은 지구가 태양을 한 번 공전하고, 육십갑자(六十甲子)는 태양을 진성[鎭星: 土星]이 두 번, 세성[歲星: 木星]이 다섯 번 도는 지구의 천문(天文) 주기들이다. 반복되는 태양계의 순환들은 지구의 환경에 영향을 주고, 그 속에서 사는 생명체들은 끊임없이 그 변화와 어울리며 생명을 이어가고 있다.

봄이 되면 이 땅은 생장하는 에너지로 가득 차고, 모든 생명은 겨울의 칩거를 끝내고 새로운 삶을 위해 스프링(Spring)처럼 튀어 오른다.

식물의 생명 에너지는 봄에는 새싹을 키우는 데, 여름에는 줄기와 잎을 뻗어 나가는 데, 가을에는 튼실한 열매를 맺는 데, 겨울에는 뿌리 속에 생명을 보존하는 데 주로 집중된다. 사막에서는 봄이 되면 암컷 낙타를 풀어 거친 황야를 뚫고 올라온 온갖 들풀과 약초들을 실컷 먹게 한 다음 젖을 짜서 치즈를 만들어 일 년 내내 다양한 용도의 약(藥)으로 썼다고 한다.

따뜻한 주말을 골라 양지바른 산언덕과 들판에 달려 나가 생명력이 충만한 달래, 냉이, 씀바귀 같은 봄나물과 약초들을 따다가 가족들의 식탁에 올려보면 어떨까?

바야흐로 2016년을 건강하게 보낼 새로운 생명 에너지를 우리 몸에 충만하게 해야 할 때다.

NAH@丙申啓蟄

|

강은 바다로 흘러간다

호우지시절(好雨知時節)

당춘내발생(當春乃發生)

좋은 비 시절을 알아

봄에 내려 만물을 자라게 하네

— 두보, 「춘야희우(春夜喜雨)」

화창한 봄날이 시작되었지만 간간(間間)이 봄을 재촉하는 비가 내리고 있다. 아침저녁으로는 아직도 바람이 싸늘하지만 시절(時節)은 어느새 춘분이다.

제비가 강남에서 돌아오기 시작한다는 음력 2월, 벌써 봄[春]은 분수령[分]을 넘고 있다.

음력 2월은 지지(地支)로 보면 묘(卯)월에 해당한다. '묘'는 모험(冒險)하는 것이다. 만물이 토끼처럼 귀를 쫑긋 세우고, 위험을 무릅쓴 채 문을 열고 나오는 모습이다. 범[寅]처럼 강해진 봄의 생명력이 묘월에 토끼[卯]처럼 온 천지로 퍼져 나간다. 시간으로 보면 (서울 기준) 아침 5시 반에서 7시 반, 만물이 일어나 활동을 시작한다.

음력 2월은 음력 8월 유금(酉金)이 잉태되는 시기로 목중지금(木中之金) 속에 금(金)을 품고 있다. 새순의 껍질이 금 기운을 받아 딱딱해지고 발산하는 목 기운도 약해진다. 도끼[金]로 팬 마른 장작[木]으로 불[火]을 피워내는 목생화(木生火)의 분열이 서서히 준비된다.

사람의 몸은 인(寅)시, 아침 3시 반에서 5시 반 사이 맨 먼저 수태음(手太陰)[11] 폐경(肺經)이 움직여 폐가 활동을 시작하면 기운을 움직여 몸을 깨우고 밤새 자는 동안 폐에 고인 탁한 기운과 먼지 등 이물질들을 모아 밖으로 뱉어내게 한다. 아침 5시 반, 묘시에 접어들면 수양명(手陽明) 대장경(大腸經)이 움직여 대장이 활동을 시작하여 정상적인 사람들은 배변(排便)을 하고 뱃속을 비워 음식물을 받아들일 준비를 한다.

'묘'는 문이 열려 있는 형상을 본뜬 것이다. 일 년 중 음력 2월 묘월이 되면 만물이 봄을 맞아 땅을 뚫고 밖으로 나와 한 해를 시작하듯이, 하루 중 아침 6시 전후 묘시가 되면 기운이 움직여 몸이 깨어나고 사람들은 방문 밖으로 나와 하루를 시작한다.

아침 7시 반, 진(辰)시가 되면 족양명(足陽明) 위경(胃經)이 움직여 아침 식사를 통해 몸속에 들어온 음식물을 일차적으로 소화시킨다. 아침 9시 반, 사(巳)시가 되면 족태음(足太陰) 비경(脾經)이 움직여 위에서 소화된 음식물의 정기(精氣), 영양분을 온몸에 전달하여 온몸에 활력을 불어넣어

구례 산수유

준다. 이어서 아침 11시 반, 오(午)시가 되면 수소음(手少陰) 심경(心經)이 움
직여 본격적인 정신적 활동이 시작되고 오후 1시 반, 미(未)시가 되면 수
태양(手太陽) 소장경(小腸經)이 움직여 이차적으로 소화를 시키고 찌꺼기의
수액(水液)은 방광으로 거친 찌꺼기는 대장으로 보낸다.

이처럼 사람의 몸 또한 자연의 순리(順理)를 따라 아침에 깨어나고 차
례대로 활동을 이어간다.

정유년 춘분 무렵 폐혼입명(廢昏立明), 어리석음을 몰아내고 밝음을 시
작했건만 무술년 춘분 무렵 #MeToo, MB 같은 판도라의 상자들이 또다
시 거침없이 열리고 이런저런 어수선한 소식들이 들려와 시민들의 마음
을 착잡하게 하고 있다.

　　　　　　　　　　__ 구름은 서로 닮은 동으로

강(江)은 바다로 흘러간다. 사람의 일이란 세월이 지나면 어김없이 드러나는 자연의 순리를 이기지 못한다. 욕승인자(欲勝人者) 필선자승(必先自勝), 남을 다스리고자 하는 사람은 먼저 자기 자신을 이겨야 한다고 하였거늘. 올라갈 때 못 본 그 꽃 지금 추락하며 내려올 때 보았는지 그것이 알고 싶다.

이제 눈을 더럽히고 귀를 혼란하게 하고 마음을 어지럽히는 뉴스는 절대 사절이다.

주말 연속극 '황금빛 네 인생'도 끝났으니 이 찬란한 슬픔의 봄, 이젠 카우치 포테이토(Couch Potato)에서 벗어나 산과 들로 달려가보자.

세속(世俗)에 오염된 눈과 귀와 마음을 정갈하게 씻어낼 수 있도록 거침없이 피어나는 때 묻지 않은 야생화들의 대장(大壯)한 생명력을 흠뻑 느껴볼 수 있도록.

道谷@戊戌春分

◇◇◇◇◇◇◇◇◇◇

11 경락 이름에 '수(手)'가 붙은 경락은 손에서 시작하면 양경(陽經), 손에서 끝나면 음경(陰經)이다. '족(足)'이 붙은 경락은 발에서 시작하면 음경, 발에서 끝나면 양경이다. 음경은 팔다리 안쪽을 따라 분포하는데 앞쪽은 태음, 뒤쪽은 소음, 중간은 궐음(厥陰)이다. 양경은 팔다리의 바깥쪽을 따라 분포하는데 앞쪽은 양명, 뒤쪽은 태양, 중간은 소양(少陽)이다.

폐혼입명(廢昏立明)

지리산 남서쪽 구례 하동을 따라 내려오는 섬진강 매화마을에 매화가 만발하였다. 머지않아 지리산 낮은 산자락에는 노랑 개나리, 분홍 진달래가 춘색(春色)을 다투고 섬진강 맑은 물길 따라 벚꽃이, 달빛 어스름한 언덕배기 과수원에는 이화(梨花)가 만발할 것이다.

오늘은 어느덧 춘분, 우리는 봄[春]의 한가운데[分] 꽃길로 접어들고 있다.

춘분이 지나면 드디어 낮의 길이가 밤의 길이보다 길어진다. 사상(四象)으로 보면 소음(少陰, ☲)에서 태양(太陽, ☱)으로 바뀌어 안에서 힘을 키우던 양(陽)의 기운이 표출되어 밖에서도 양의 기운이 주도한다.

괘상(卦象)으로 보면 춘분 이전은 지천태괘[地天泰卦, ䷊]로, 위로 올라가려는 양의 기운과 아래로 내려오려는 음(陰)의 기운이 화합하니 수승화강(水昇火降) 태평한 기운이 넘친다. 춘분 이후는 뇌천대장괘[雷天大壯卦, ䷡]로, 양의 기운이 위로 넘쳐 하늘을 진동시키니 봄기운이 크게 넘치고[大壯] 바야흐로 중춘(仲春)이 무르익는다.

민주 시민으로서 힘들었던 2017년 3월

도도한 계절의 기운 흐름처럼 대한민국에 대장(大壯)한 봄이 왔다.

2017 0310 1121.

민주(民主)와 공정(公正)이라는 시대정신이 권위주의, 시대착오적인 낡은
패러다임의 찌꺼기를 깨끗이 청산(淸算)하는 대사건이 일어났다.

유이일인치천하(惟以一人治天下)

기위천하봉일인(豈爲天下奉一人)

천하를 위해 봉사하는 지도자가 되어야 하는 것이지

한 사람 때문에 천하가 희생되어서는 안 되는 것이다.[12]

국민에 의해 주어진, 공익(公益)을 위한 권력을 주변 패거리들이 사익(私益)을 위해 사유화(私有化)하는 것을 방치하고, 공정하지 않은 방식으로 의(義)로운 사람들을 핍박하는 데 남용하게 하고, 드러난 진실들을 부정하고, 염치(廉恥) 없는 여론몰이로 끝까지 버텨보았지만

폐혼입명(廢昏立明), 어리석은 이를 폐하고 밝은 이를 세우다.

다이내믹 코리아(Dynamic Korea), 끈질긴 회복 탄력성을 가진 민주 시민들의 저력(底力)과 내공(內工)을 막을 수는 없었다.

무너져 내린 것은 천민자본주의를 맹종(盲從)하던 개발 독재 시대의 망령이었다. 의식주를 풍요롭게 해주기만 하면 된다는 천박한 결과지상주의 그 과정에서 걸림돌이 되는 힘없는 소수들이 애처롭게 희생되었던 시대. 정치적·경제적·사회적 자유는 어떻게 희생되어도 좋다며 주권자를 무시하고 영혼이 없는 살찐 돼지를 강요하던 1970년대 권위주의로 회귀(回歸)하는 것을 주권자 대다수의 의견을 수렴하여, 입법부가 발의하고 사법부가 파면하였다.

정유년(丁酉年) 춘분, 양이 음의 기운을 밀어내는 태평한 계절의 순리를 따라 산하화(山下火), '한여름 밤의 달'이 '이른 저녁 서방(西方)'으로 졌다.

이제는 더 이상 내우(內憂)에 빠져들지 말고, 힘차게 솟아나는 중춘의 대장한 기운으로 주변 국가들이 벌이는 외환(外患)에 지혜롭게 대처해야 할 때다.

이인동심(二人同心) 기리단금(其利斷金)

동심지언(同心之言) 기취여란(其臭如蘭)

사람들의 마음이 하나가 되면 무슨 일이라도 할 수 있고

하나된 마음에서 나오는 말들은 그 향기가 난초와 같다

—『주역』

이제 더 이상 꽃샘추위는 없다. 모두 한마음[同心]으로 씩씩하게 달려 가야 할 향기로운 봄, 꽃길만 남아 있다.

NAH@丁酉春分

◇◇◇◇◇◇◇◇◇◇

12 청나라 5대 황제, 옹정제(雍正帝)는 자신의 거처인 양심전(養心殿) 내 서난각(西暖閣) 근정친현(勤政親賢)에 위군난(爲君難); 지도자가 된다는 것이 얼마나 어려운가를 고민하며 늘 자신을 경계하는 이 대련(對聯)들을 걸어놓았다.

혁명은 진행 중이다

남촌(南村) 양지(陽地)에는 산수유, 매화, 유채가 만발했다. 남쪽에서는 제비가 날아오고, 북쪽에서는 추위가 없다는 오늘은 춘분이다. 춘분이 지나면 태양의 황도(黃道)가 적도를 지나 낮이 밤보다 길어지기 시작하고, 천기(天氣)의 흐름도 겉은 아직 차가웠던 소음(少陰)에서 겉과 속이 모두 양(陽)인 태양(太陽)으로 바뀌게 된다.

사실 매화, 산수유, 개나리, 진달래 같은 '봄에 일찍 피는 꽃'들은 치열함 그 자체다. 대개는 꽃이 자잘하고 나무의 키도 크지 않아, 늦게 피는 큰 꽃들과는 경쟁을 할 수 없기에 꽃샘추위를 무릅쓰고 전략적으로 일찍 꽃을 피워 수정을 마치려 한다. 그래서 잎이 생기기도 전에 서둘러 지난 가을에 미리 준비했던 꽃부터 피우는데, 벌과 나비들의 관심을 끌기 위해 한꺼번에 무더기로 많은 꽃을 피운다.

지난주에 벌어진 기계 '알파고'와 인간 이세돌의 바둑 접전은 치열했다. 처음에는 인공지능을 가소롭게 생각했다가 이내 인공지능의 위력(威

광양 매화

力)에 잔뜩 겁을 집어먹었고, 잠시 인간 이세돌의 '신의 한 수'와 투지와 승리에 감동하였으나 결국은 침울하게 막을 내려야 했다. 전자공학을 전공한 입장에서 냉정하게 평가해보면, '언젠가는 인간이 완패할 수밖에 없는 그날'이 '지금'인 것을 확인한 것뿐이다.

음(陰)이 음음(陰陰)이 되고, 결국은 양이 되는 것은 음양(陰陽)의 이치다. 양(量)적인 변화가 질(質)적인 변화를, 물리(物理)적 변화가 화학(化學)적 변화를, 형이하학(形而下學)적 변화가 형이상학(形而上學)적 변화를 이끌어낸다. 우리는 이미 '인터넷 혁명'에서 경험했고, '스마트폰 혁명'에서 경험하고 있다.

1996년, 인터넷 혁명은 처음에는 단순히 더 빠른 통신 속도로 정보를 주고받게 해주는 ADSL 기술의 진보[陰]로 시작하였지만, 10년 만에 일

반 대중이 인터넷이란 가상 세계에 가세하면서 소위 임계량을 돌파하였고 우리가 소통하는 정보의 양과 정확도, 속도에서 엄청난 양적인 변화[陰陰]가 수반되었다. 20년이 지난 지금은 소위 특이점을 돌파하여 구글, 아마존 같은 온라인 산업들이 오프라인 산업들을 압도하며 지구촌 사람들이 살아가는 문화[陽] 자체를 통째로 바꾸고 있다.

스마트폰 혁명도 동일한 정반합(正反合)의 변증법적 진화를 거듭하고 있다. 2007년 아이폰이 등장한 이래 9년 만에 이렇게 세상이 바뀔 줄은 정말 아무도 몰랐다. 페이스북, 인스타그램, 카카오톡, 네이버밴드 같은 SNS는 순식간에 우리가 소통하는 방식을 송두리째 바꾸어버렸고, 여전히 진화하고 있다. 우버와 에어비앤비 같은 인터넷과 스마트폰 기반의 새로운 비즈니스 모델들은 우리가 돈 벌고 쓰는 산업 지형마저 예측할 수 없는 방향으로 뒤틀고 있다.

붓다는 제행무상(諸行無常), 모든 것은 변하고[諸行] 그래서 남아나는 것이 없다[無常]고 했다.

『주역』은 답(答)한다. 궁즉변(窮則變) 변즉통(變則通), 세상이 갈 때까지 가면[窮] 변해야 하고[變] 변해야[變] 겨우 길이 열린다[通]고.

혁명(革命)은 여전히 진행 중, 준비 중이다. 드론 같은 로봇들은 '육체노동'을, 인공지능과 뇌를 모방한 뉴런 칩들은 '정신노동'을 하나하나씩 대체하면서 끊임없이 '알파고'처럼 경이롭게 진화해갈 것이다. 그것들은 처음에는 기술을 바꾸고[陰], 다음에는 사람들의 습관을 바꾸고[陰陰], 결국

___ 구름은 서로 달은 동으로

에는 사회 전체의 문화를 바꾸게[陽] 될 것이다.

'앞으로 10년 후, 20년 후 우리가 사는 세상이 어떤 모습일까?' 상상하는 것은 부질없다. 다만 한 가지 확실한 것은 봄이 지나면 여름이 오고, 여름이 지나면 가을 겨울이 오고, 다시 또 봄이 시작된다는 것. 소음이 태양이 되고, 태양이 소양(少陽)이 되고, 소양이 태음(太陰)이 되고, 태음이 다시 소음으로 반복된다는 것이다.

세월은 가고 오는 것, 2026년에도 다시 봄은 오고 매화가 만발하고 제비도 날아올 것이다. 그리고 늘 그러하듯 살아남은 사람들은 한 잔의 술을 마시고 술병이 바람에 쓰러지는 소리를 들으며, 희망을 붙들고 누군가의 사랑을 기다리고 있을 것이다.

NAH@丙申春分

돌담에 속삭이는 햇발같이

돌담에 속삭이는 햇발같이

풀 아래 웃음 짓는 샘물같이

내 마음 고요히 고운 봄길 위에

오늘 하루 하늘을 우러르고 싶다

— 김영랑, 「돌담에 속삭이는 햇발」

오늘은 일 년 중 가장 날씨가 맑고[淸] 밝다[明]는 청명이다. 개울가 언덕배기 노랑 개나리, 연분홍 벚꽃에 홀려 너도나도 봄나들이 나서는 시절이지만 아쉽게도 금수강산(錦繡江山)의 하늘은 잦은 미세 먼지와 황사로 혼탁(混濁)하기만 하다.

『열양세시기(洌陽歲時記)』[13]에 따르면 큰 불[大火]이라 불리는 심수(心宿)가 가장 높이 뜨는 시기 청명이 되면, 내병조(內兵曹)에서는 주례(周禮)를 따라 버드나무에서 새로 불을 만들고 임금은 이 불 청명화(淸明火)를 내외의 모

디지털시티에 피어난 살구꽃

든 관청과 대신들에게 나누어주었다고 한다. 수령들은 이 불을 다시 백성들에게 나누어주었는데, 묵은 불을 끄고 새 불을 기다리는 동안 밥을 지을 수 없어 찬밥을 먹었다 하여 이날을 한식(寒食)으로 불렀다고.

일년가절상량득(一年佳節商量得)

최시청명상막위(最是淸明賞莫偉)

일 년 중 좋은 시절 헤아려보니

청명 나들이가 더없이 제일 좋구나

— 윤기(尹愭), 「청명기고사(淸明記故事)」

청명 무렵은 오동나무에 꽃이 피기 시작하고, 살구꽃이 화사하게 피

는 시절이다. 청명에는 답청(踏靑)이라 하여 봄바람을 맞으며 산과 들로 봄
꽃 나들이를 가고 한식[14]에는 겨울 동안 찾지 못했던 조상의 묘를 찾아
성묘(省墓)하고 차례(茶禮)를 지낸다.

동북아시아의 세계관에서는 사람에게는 영혼백(靈魂魄)이 있다고 믿었
다. 영(靈)은 하늘의 기운으로 음양(陰陽)으로 측량할 수 없는 신(神)으로
변하지 않는 하늘의 마음을 주관하며 죽으면 하늘로 돌아가고, 혼기귀
우천(魂氣歸于天), '혼'은 인간의 기운으로 양이 기(氣)로 변한 것으로[陽化氣]
죽으면 하늘로 흩어지고, 형백귀우지(形魄歸于地), '백'은 땅의 기운으로 음
이 형을 이룬 것으로[陰成形] 죽으면 땅으로 흩어진다 믿었다.

계절 따라 하늘과 조상에게 제사를 지내는 이 땅의 풍습은 만물본호
천(萬物本乎天) 인본호조(人本乎祖), 만물의 근본은 하늘에서 시작되고 사람
의 근본은 조상에게서 시작된다는 믿음에서 출발한다.

제사를 지낼 때는 먼저 분향과 관주를 하는데 하늘로 흩어진 조상의
혼을 부르기 위해 향을 피우는 분향(焚香)을 하고 땅으로 흩어진 조상의
백을 부르기 위해 땅에 술을 붓는 관주(灌酒)를 하는 것이다.

죽어서 혼백이 하늘과 땅으로 완전히 흩어지는 데 100년 정도가 걸린
다고 믿어 조상에 대한 제사는 혼백이 완전히 흩어지지 않은 4대(代) 조
상까지 지낸다고.

수원 디지털시티 캠퍼스에 연분홍 살구꽃이 활짝 피어났다.

차문주가하처유(借問酒家何處有)

목동요지행화촌(牧童遙指杏花村)

주막이 어디인지 길을 물으니,

저 멀리 살구꽃 마을 가리키네

— 두목(杜牧),「청명」

복숭아꽃 살구꽃 피어 있는 아늑하고 낭만적인 산골 마을이 꿈속의 고향처럼 떠오른다. 그 마을의 넉넉함과 순박함이 몸과 마음을 한없이 편안하게 할 것만 같은….

평생 큰 것을 좇아 홀린 듯이 바쁘게 떠다니는 삶을 살다가 뒤늦게 유유자적하는 삶을 꿈꾸어, 주식을 팔고 편안한 은퇴를 준비하던 한 지인(知人)이 얼마 전 심장마비로 쓰러지고 결국 세상을 떠났다는 안타까운 소식을 들었다.

인생간득기청명(人生看得幾淸明)

수질금년부답청(愁疾今年負踏靑)

남은 인생 몇 번이나 청명을 볼 수 있을까

올해는 괴로운 병들어 답청도 하지 못하네

— 신흠(申欽),「답청일병와(踏靑日病臥)」

이번 주말에는 세상사(世上事)의 번잡함을 다 내려놓고 활짝 피어나는 봄꽃들과 대작(對酌)하며 덧없다는 말처럼 덧없이, 속절없다는 말처럼 속절없이 가는 세월을 하염없이 붙잡아보고 싶다.

道谷@戊戌淸明

13 조선 순조(1819) 때 김매순이 한양[洌陽]의 세시풍속을 기록한 책.
14 한식은 동지로부터 105일째 되는 날로 청명과 같은 날이거나, 청명 다음 날이다.

애리조나 피닉스에서

애리조나 피닉스. 그 옛날 피마·나바호·아파치 인디언들이 살던 땅, 그 붉은 지평선에 불사조처럼 사구아로 선인장들이 늠름하게 서 있다.

호지무화초(胡地無花草), 누가 거친 땅에는 꽃이 없다고 했나.

거친 땅에도 봄은 와 온 들판은 이름 모를 들꽃들로 넘쳐나고 낯선 들 꽃들의 향기가 이국(異國) 땅 나그네의 마음을 평화롭게 한다.

북쪽 뉴욕, 시카고 일대는 지난 춘분(春分)에도 25센티미터가 넘는 눈 이 내렸는데 남쪽 애리조나 광야(曠野)의 한낮 온도는 벌써 30도 가까이 오르고 있다.

비록 위도에 따라 양기(陽氣)와 음기(陰氣)의 태과(太過)와 불급(不及)이 다 르기는 하나 해와 달과 지구의 운행에 따른 목화금수(木火金水)의 주기 변 화는 어디서나 어김이 없다.

오늘은 하늘이 맑고[淸] 밝아진다[明]는 청명, 계절은 어느새 봄의 막바 지 계춘(季春)으로 접어들고 있다.

애리조나는 피마 인디언들의 말로 '작은 샘이 있는 곳(little spring place)'이라는 뜻이란다. 애리조나 북쪽의 콜로라도강이 그랜드 캐년을 뚫고 남으로 내려와 애리조나 남쪽을 가로지르는 길라강과 만나 멕시코를 지나 태평양으로 흘러든다.

텍사스는 카도 인디언 말로 '친구'라는 뜻으로 1821년부터는 스페인으로부터 독립한 멕시코 땅이었다. 노동력이 부족했던 멕시코는 미국 이민자들의 정착을 허용하였는데 텍사스에 정착한 미국 이민자들이 2만 5,000명을 넘기며 이민자 비중이 크게 늘어나게 되자 위협을 느낀 멕시코 정부는 높은 과세를 매기고, 무단 정착민들에게 철수 명령을 내린다. 멕시코 정책에 반발한 텍사스 히스패닉과 미국 이민자들이 결국 독립전쟁을 시작하고 미국 이민자들은 영화로도 유명한 샌안토니오 '알라모(Alamo) 전투'에서는 패하지만 결국 샌하신토(San Jasinto) 전투에서 승리하며, 1836년 '텍사스 공화국'으로 독립하게 된다.

독립한 텍사스 공화국은 약 10년 후 1845년 미합중국에 가입하게 되는데[15] 텍사스의 종주국이라 여겼던 멕시코가 크게 반발하면서 멕시코-미국 전쟁이 발발하게 된다. 하지만 1846년에서 1848년 벌어진 멕시코-미국 전쟁에서 결국 멕시코시티까지 함락이 되자 멕시코는 어쩔 수 없이 미국과 과달루페 이달고(Guadalupe Hidalgo) 조약을 맺고 당시 멕시코 땅이었던 애리조나, 뉴멕시코, 캘리포니아, 콜로라도, 네바다, 유타 일대를 겨우 1,825만 달러, 헐값에 미국에 할양하고 만다.

하지만 세상 역사(歷史)에 공짜란 없는 법. 멕시코에서 빼앗은 새로 생긴 주들을 '노예 주'로 하겠다는 남부[South]와 '자유 주'로 하겠다는 북부

　　　　　　　　　 구름은 서로 닮은 동으로

사구아로 선인장

[North] 사이에 대립과 갈등이 증폭되었고, 결국 미국은 1861년 남북전쟁으로 치닫게 된다.

또한 1차 세계대전에서 동맹국 독일이 미국의 참전을 두려워하여 "멕시코가 미국을 공격할 경우 1848년 미국에 빼앗긴 영토를 돌려주겠다"며 멕시코의 참전을 요구한 것이 알려지자, 미국은 연합국 편을 들어 1차 세계대전에 참전하게 되며, 또 다른 대가를 치르게 된다.

정재부근이래원(政在附近而來遠), 정치란 가까운 곳과는 친하고 먼 곳에서는 오게 하는 것인데 과달루페 이달고 조약이 맺어진 지 약 170년이 지난 지금, 텍사스 미국 이민자의 이야기는 까맣게 망각(忘却)한 채 도날드 트럼프 미국 대통령은 옛 멕시코 땅; 텍사스, 뉴멕시코, 애리조나, 캘리포니아 국경을 넘는 멕시코 이민자를 막겠다며 "3,141킬로미터의 장벽을 쌓는 데 약 310억 달러(약 35조 원)의 돈을 쓰겠다"고 떼쓰고 있다.

애리조나 피닉스 공항은 마침 봄방학을 맞아 여행하는 학생들과 '3월
의 광란 파이널 포(March Madness Final Four)' 농구 경기를 즐기려는 방문객
들의 열기로 온통 북적거리고 있다.

광야에도 다시 봄꽃들이 치열하게 피어나듯 고단했던 긴 겨울을 인내
했던 사람들이, 개나리 진달래 살구꽃 춘정(春情)을 이기지 못하고 피닉
스(Phoenix)처럼 다시 부활의 날갯짓을 힘차게 퍼덕이고 있다.

NAH@丁酉淸明

◇◇◇◇◇◇◇◇◇◇

15 텍사스는 1861년 다시 미합중국에서 탈퇴하게 된다. 하지만 남북전쟁에서 노예 제도를
찬성하는 남군을 지원하게 되고, 결국 남군이 남북전쟁에서 패배하게 되자 1870년 다시 미합
중국에 가입하게 된다.

수원 풍수 이야기

아침 출근길 회사 정문 앞 '산드래미' 여울가에 청명한 춘색(春色)이 완연하다. 버드나무는 연초록 가지를 늘어뜨리고 있고 양지바른 둑 위에는 노란 병아리색 개나리들이 활짝 피어 있다. 디지털시티 캠퍼스 곳곳에도 연분홍 살구꽃들이 하염없이 요염하다.

오늘은 하늘이 맑고[淸] 밝아진다[明]는 청명이다.

디지털시티 캠퍼스가 자리하고 있는 매탄동 일대의 옛 마을 이름은 '산드래미'다. 주변에 작은 산들이 둘러쳐져 있어 '산둘레미' '산드래미'라고 불렀다고 한다. 북쪽에 매봉[응봉鷹峯], 동쪽에 청명산이 둘러쳐져 있고 마을 앞으로 원천천(遠川川)이 흐르는, 크지는 않지만 아기자기한 전형적인 배산임수(背山臨水) 터다.

매봉의 서쪽 골짜기에서 내려온 물줄기가 '원천' 저수지로 흘러들고, 동쪽 골짜기에서 내려온 물줄기가 '신대' 저수지로 흘러들어 원천천에서 합류하여 산드래미 부근에서 여울을 이루며 구부러져 흘러 매화 매(梅), 여

개나리 군락

울 탄(灘)이란 '매화가 흐드러지게 피는' 정겨운 동네 이름도 만들어졌다.

매화는 매란국죽(梅蘭菊竹) 사군자(四君子) 중에서도 으뜸으로 백화제방 (百花齊放)하는 봄의 목(木) 기운을 상징하는데, 다양한 시도를 해야 하는 연구 개발도 오행(五行)으로는 목에 해당한다. 매탄은 '연구 개발이 흐드 러지게 이루어진다'는 함의(含意)를 담고 있는데 바로 이 매탄동에 세계 최대의 전자 제품을 연구 개발하는 캠퍼스가 자리하고 있다.

풍수적으로 수원(水原)은 대한민국의 단전(丹田)이다. 세계의 지붕 히말 라야에서 세 지맥이 갈라지는데 북쪽 가지가 톈산산맥, 몽골을 거쳐 동 쪽으로 뻗어 삼수갑산(三水甲山) 백두산 일대에 다다른다. '삼수'는 백두산 에서 발원한 압록, 두만, 송화 세 강을 의미하고 '갑산'은 산 중에서 천하

제일[甲]이라는 백두산을 의미한다. 한반도의 풍수는 수근목간(水根木幹), 북쪽[水]의 백두산(白頭山)이 뿌리이고 동쪽[木]의 백두대간(白頭大幹)이 줄기로, 호랑이가 백두산을 머리로 백두대간을 척추로 하여 엎드린 모양이다. 호랑이 꼬리 위치에 포항 호미(虎尾)곶이 있고 한강 하구 배꼽 아래 단전 석문혈(石門穴) 위치에 수원이 있다. 단전은 생명의 물[水], 즉 정(精)을 만드는 근원[原]으로 함의적으로 수원(水原)을 의미한다.

지리(地理)적으로도 한반도의 남북을 종주하는 경부고속도로는 임맥(任脈)에 해당하고, 인천과 강릉을 연결하는 영동고속도로는 대맥(帶脈)에 해당하는데 임맥과 대맥이 만나는 곳이 단전으로 그 자리가 바로 북(北)수원 일대다.

수원의 진산(鎭山)은 광교산(光敎山)으로 예로부터 단전의 기(氣); 빛[光]과 관련된 야사(野史)가 많았다. 한남정맥의 주봉(主峯)으로, 동(東)으로는 청명산부터 시작하는 좌청룡(左靑龍) 청명지맥(淸明支脈)과 서(西)로는 칠보산(七寶山), 서봉산(棲鳳山)으로 연결되는 우백호(右白虎) 서봉지맥(棲鳳支脈)과 함께 수원을 감싸안아 장풍득수(藏風得水); 서북쪽의 바람을 막아주고 수원의 이름에 걸맞게 풍부한 물을 제공해주고 있다.

수원을 감싸는 동쪽 좌청룡인 청명지맥에는 형이하학(形而下學)적으로 '몸[器]을 풍성하게[興] 해준다'는 지명인 기흥(器興)이 있는데 전자 산업의 몸이라고 할 수 있는 반도체[Device, 器]를 생산하는 전자 반도체 부문이 기흥에 있다. 형이상학(形而上學)적으로 '영혼[靈]과 통(通)한다'는 지명인 영통(靈通)이 있는데 사람과 사람의 영혼들을 통하게 해주는 휴대폰 사업 부문이 영통에 자리 잡고 있다.

수원의 수(水)는 방위는 북쪽이고, 색은 검은색이다. 따라서 북수(北水)는 검은 물, 즉 원유(原油)를 의미한다. 북수원에서 선경직물로 출발한 SK는 공교롭게도 '석유공사'를 인수하고 크게 성장하기 시작했다. SK는 차례로 좌청룡의 청명산 기슭, '영통의 기운'을 이어받은 이동통신 회사 SKT, 최근에는 '기흥의 기운'을 이어받은 반도체 회사 하이닉스를 차례로 인수하면서 더 크게 도약하고 있는데, 아마도 수원 지세(地勢)와의 동기감응(同氣感應)이리라.

수원 화성(華城)의 화(華)는 꽃이 활짝 핀 모습으로 단전의 만다라를 상징한다. 단전의 진기[眞氣; 광光]가 무지개[홍虹]로 뿜어 나오는 수원의 '단전의 입구'가 바로 북수동(北水洞) 화홍문(華虹門)의 7개 석문(石門)이다.

청명에는 화성의 성곽(城郭) 길을 따라서 흐드러진 봄꽃들과 팔달(八達)하는 단전의 기운을 만끽하며, 몸과 마음이 청명하고 장안(長安)하기를 기원해보면 어떨까?

NAH@丙申淸明

꽃 피고 지는 시절에

일편화비감각춘(一片化飛減却春)

풍표만점정수인(風飄萬點正愁人)

한 조각 꽃잎 흩날리며 봄은 사라져가고

바람에 떨어진 꽃잎처럼 시름은 쌓여가네

— 두보, 「곡강(曲江)」

    잔인한 달 4월 중순의 날씨는, 따뜻한 햇볕의 온기로 초여름 같은 화창한 날씨가 계속되다가도 밀려나는 찬 기운의 저항으로 쌀쌀한 아침 바람이 심술을 부리고 때때로 매섭게 돌풍이 몰아친다.

    오늘은 비가 내려[雨] 곡식[穀]을 자라게 한다는 봄의 마지막 절기(節氣), 곡우다.

    양력 4월 중순이면 음력 3월, 진(辰)월로 접어든다. '진'은 양기(陽氣)가 진동(震動)하는 것이다. 토끼[卯]처럼 온 천지로 퍼져 나간 양기가 용[辰]처럼 하늘로 용솟음친다. 만물이 모양을 갖추며 다 나오는 시기로, 농사(農事)[16]를 본격적으로 시작한다.

진월이 되면 토중지수(土中之水), 수생목(水生木)으로 봄[木]의 생명력을 만들어낸 겨울[水]의 기운은 진토(辰土) 속으로 숨는다.

곡우가 지나면 예쁜 꽃을 시샘하는 화투연(花妬娟), 꽃샘추위도 사라지고 겨울 수(水)의 영향력은 소멸된다. 드디어 천지의 기운은 땅을 뚫고 올라온 강한 목(木)의 생명력에서 만물을 번창하게 하는 화(火)의 발산으로 바뀌기 시작한다.

욕문상사처(欲問相思處)

화개화락시(花開花落時)

님 그리워하는 마음 어디 있다가

꽃 피고 지는 시절에 찾아오는지

— 설도(薛濤), 「춘망사(春望詞)」

봄은 짝짓기의 계절이다. 겨우내 목숨을 부지한 생명들은 산과 들에 생기가 넘치면 포유류에서 곤충까지 짝짓기를 하며 자신의 유전자를 이어갈 새 생명을 만든다.

식물들도 온 힘을 다해 아름다운 꽃을 피우고, 벌과 나비를 불러들여 수정(受精)을 한다.

짝짓기를 위해 치열한 경쟁을 하다 상처를 입고 목숨을 잃는 수많은 포유류 수컷들, 수많은 경쟁을 뚫고 여왕벌과 짝짓기를 하고 나면 하복부

___ 구름은 서로 달은 동으로

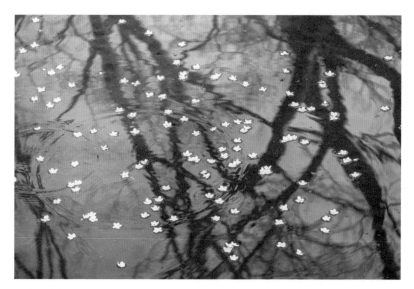

화무십일홍(花無十日紅)

가 떨어져 나가 죽고 마는 수벌들, 암컷 개똥벌레의 가짜 신호에 속아 짝짓기하려다 잡아먹히는 반딧불이 수컷들, 짝짓기를 하고 기꺼이 암컷의 먹이가 되는 사마귀 수컷, 거미 수컷들의 삶은 처연하다. 안타깝게 사정(射精)도 못해보고 정사(情死)하는 수컷들에게 4월은 가장 잔인한 달이다.

봄이 되면 낮의 길이가 길어지고 야외 활동이 늘어나면서 많은 양의 에너지를 소모하고, 기온이 올라가 체온이 올라가면 신진대사가 활발해져 많은 영양소를 필요로 하게 된다.

봄에 찾아오는 춘곤증(春困症)을 이겨내려면 적당한 운동으로 몸을 활성화시키되, 과도한 야외 활동은 자제하여 과로를 피하고 고루 충분하게 영양을 섭취하여야 한다고.

조선 시대 세시풍속에 의하면, 음력 춘3월이면 산란하러 한강을 올라오는 곡우 때 많이 잡힌다 하여 곡지(穀至)로 불리는 민물고기를 잡아 국을 끓여 먹기도 하고, 바다에서 많이 잡히는 황조개와 조기로 국을 끓여 먹기도 하였다. 복사꽃(복숭아꽃) 떨어지기 전에는 복어[河豚]에 미나리를 넣어 복국(하돈탕)을 끓여먹고, 늦봄에는 녹두묵으로 만든 탕평채(蕩平菜)와 수란(水卵)을 먹었단다.

겨우내 뿌리에 잠복해 있던 식물의 생명 에너지는 봄이 되면 새롭게 자라난 새싹들로 옮겨간다. 따라서 봄에 새롭게 자라난 푸성귀들은 그야말로 생명 에너지가 넘치는 보약(補藥) 덩어리다.

햇빛을 듬뿍 받고 자라 양기가 풍부한 미나리, 부추 같은 제철 채소와 쑥, 냉이, 달래 같은 봄나물들을 충분히 섭취하여 춘곤증을 이기고 활동적인 여름을 대비해야 할 때다. 양기를 너무 키우면 오히려 불면증이 오기도 하는데, 이럴 때는 음지를 좋아하는 봄 고사리 같은 제철 음식으로 음기(陰氣)를 키워 음양(陰陽)의 균형을 맞춰주는 지혜도 필요하다.

수류임급경상정(水流任急境常靜)
화락수빈의자한(花落雖頻意自閑)
물이 아무리 빠르게 흘러도 내 마음은 늘 고요하며
꽃이 자꾸 진다 해도 내 마음은 여전히 한가하네

— 소옹(邵雍), 「천진감사음(天津感事吟)」

___ 구름은 서로 달은 동으로

나는 지금 도곡 창가에 한가히 앉아 꽃 지고 또 피는 매봉 안산(案山) 위로 화창하게 쏟아지는 늦봄의 눈부신 햇빛과 봄바람이 만들어내는 흔들거림을 바라보며, 아름다운 계절이 지나가는 것을 고요하게 관음(觀音)하고 있다.

道谷＠戊戌穀雨

---

16 농(農)은 '곡(曲) = 밭[田]' + '진(辰)'으로, 농사는 진월이 되어 밭에 나가 시작하는 일을 의미.

춘삼월 벚꽃 엔딩

양재천 양지바른 둑길을 따라, 왕벚나무 수양벚나무에 붉고 흰 벚꽃들이 만개(滿開)하여 상춘객(賞春客)들을 불러들이더니 봄을 시샘하는 찬 비바람에 일장춘몽처럼 꽃잎들은 흩날려 사라져버렸다.

오늘은 비가 내려[雨] 곡식[穀]을 기름지게 한다는 곡우, 춘삼월 호(好)시절, 봄의 마지막 절기(節氣)다.[17]

곡우 때가 되면 식물에 물이 힘차게 올라 농촌에서는 못자리를 준비하면서 본격적으로 한 해 농사를 준비한다.

곡우 전후 음력 춘삼월 진월(辰月)은 괘상(卦象)으로 보면 택천쾌괘[澤天夬卦, ䷪]로 쾌도난마(快刀亂麻), 양기(陽氣)가 음기(陰氣)를 힘차게 밀어내는 시기로 안으로는 마음이 하늘[天]처럼 강하고, 밖으로는 모두가 호수처럼 기뻐한다[澤]. 하지만 밀려나는 음기가 여기저기 흩어지며 차갑고 변덕스러운 날씨를 연출한다.

곡우 때가 되면 땅에서뿐 아니라 바다에서도 생명의 기운이 넘쳐난다.

양재천 벚꽃

곡우 무렵에는 흑산도 근처에서 겨울을 보낸 조기(助氣)가 서해로 부상하는데 봄에 잡는 조기 중에 곡우 때 잡히는 조기가, 살이 기름지고 연하고 맛이 있고 알이 가장 많이 들어 있어 곡우사리라 불러 구별한다. 이 조기로 만든 굴비를 '곡우사리 굴비' 혹은 '오가재비 굴비'라 하여 특품(特品)으로 친다.

곡우 무렵에는 서해안 포구 어시장에는 간재미(가자미), 삼식이(쏨뱅이)가 넘쳐나고, 사람들이 좋아하는 자연산 광어와 도다리들도 주인을 기다린다. 알이 꽉 들어찬 봄 주꾸미[죽금어竹今魚]들이 고무 대야에 떼 지어 웅크리고 있고 알이 꽉 차고 살이 실하게 들어찬 암꽃게가 배에 실려 들어오기 시작한다.

흔히 '봄 도다리, 가을 전어'라 하여 최근 '봄 도다리'가 대접을 받고 있는데 사실 '도다리'는 산란기가 가을로, 살찌고 알찬 늦가을이 오히려 제 철이고 산란을 마친 봄에는 살이 적고 물러 회(膾)로 먹기에는 적당하지 않다고 한다.

통영 지방에서는 봄이 되면 잡히는 문치가자미를 '봄 도다리'라 부르는데 어민들이 쑥과 함께 쑥국을 끓여 먹은 것이 요즘 유명해진 '도다리 쑥국'이다. 봄 쑥의 향기와 적당히 부서진 도다리 살과 뽀얀 국물 맛이 어우러져 맛이 독특하다. 최근 서울 유명 호텔에서 '도다리 쑥국'을 봄철 특선 음식의 반열에 올려놓았으니 구박받던 시절에 비하면 최근의 '먹방' 열풍 덕분에 도다리 팔자(八字)가 핀 셈이다.

사실 도다리는 광어에 밀려 횟감 취급도 제대로 못 받았던 시절이 있었는데 좌광우도(左廣右鰈)[18]라 하여 눈의 위치를 보고 광어와 도다리를 구별하곤 하였다. 진짜 '도다리'는 잔 얼룩무늬가 연하게 있고, 껍질이 얇으며 큰 눈이 튀어나온 모습인데 먹을 만한 크기로 성장하는데 3~4년이 걸려 경제성이 없어서 양식을 하지 않는다. 지느러미에 진한 무늬가 있는 강도다리는 성장이 빨라 양식을 많이 하는데, 도다리를 회로 먹었다면 십중팔구 강도다리를 먹었다고 보면 된다고.

부이문지불여목견지(夫耳聞之不如目見之)

목견지불여족천지(目見之不如足踐之)

족천지불여수변지(足踐之不如手辨之)

무릇 귀로 듣는 것은 눈으로 보는 것만 못하고

눈으로 보는 것은 발로 밟아보는 것만 못하며

___ 구름은 서로 달은 동으로

발로 밟아보는 것은 만져보고 판단하는 것만 못하다

―『설원(說苑)』

TV와 인터넷을 떠도는 과장되고 편향된 말과 글, 호들갑스런 마케팅 카피들에 휘말려 사이비(似而非)를 사실인 양 맹신(盲信)하고, 스스로 믿어 버린 허상(虛像)에 끌려다니며 '봄 도다리 쑥국' 같은 판단을 생각 없이 막연히 하고 있는 것은 아닐는지.

다가오는 주말에는 가까운 김포 대명포구, 인천 소래포구 혹은 화성 궁평 어시장도 좋다. 봄기운을 가득 머금은 주꾸미 철판구이, 암꽃게찜, 삼식이와 간재미회로 봄을 채우고 흩날리는 꽃잎과 붉은 낙조(落照) 속에 떠나가는 봄을 하염없이 바라보며 허심평지(虛心平志), 헛된 마음을 비우고 뜻을 평안하게 다스려 봄은 어떠하랴.

NAH@丁酉穀雨

◇◇◇◇◇◇◇◇◇◇

17 닷새를 1후(候)라 하고 3후, 즉 15일을 1기(氣)라 한다. 3기가 모여 45일이 되면 1절(節)이 되고, 2절이 모여 1시(時)가 된다. 4시가 모여 1세(歲), 즉 1년이 된다. 1년에는 입춘, 우수부터 소한, 대한까지 24기가 있고 입춘, 춘분, 입하, 하지, 입추, 추분, 입동, 동지의 8절이 있으며 춘하추동(春夏秋冬)의 4시가 있다.

18 광어(廣魚)는 앞에서 보면 두 눈이 왼쪽[左]으로 쏠려 있고, 도다리[鮧達魚]는 오른쪽[右]으로 쏠려 있다. 하지만 지느러미에 진한 무늬가 있는 '강도다리'는 눈이 왼쪽으로 쏠려 있어 좌광우도가 늘 맞는 말은 아니다.

|

나는 시민인가

세월호 2주기를 맞이한 지난 주말에는 남쪽 바다에서부터 차가운 봄비가 올라오고 돌풍이 거세게 몰아쳤다. 세월호 사고의 의혹들에 대한 진실의 윤곽은 여전히 차가운 바닷속에 잠자고 있고 슬프고 답답하게도 스스로 책임을 인정하고 용서를 구하는 권력은 아직 아무도 보이지 않는다. 그 위급 상황에서 골든 타임 동안, 어린 학생들은 대체 왜 선실을 떠나지 못하였는지? 해경은 어찌하여 우왕좌왕 골든 타임을 놓치고 제대로 구조 활동을 하지 못하였는지?

온갖 꽃이 마음껏 꽃망울을 터트리는 이 아름다운 계절에 취해 사람들은 2년 전의 기억을 망각하고 다시 일상으로 돌아와 꽃 나들이에 정신이 없다.

봄 날씨가 좋은 것 같지만, 그때처럼 세상만사는 늘 호사다마(好事多魔)다. 곡우 때는 자주 황사가 바다를 건너고 찬비가 내리고 변덕스럽게 돌풍이 몰아친다.

오늘은 곡식[穀]의 싹을 틔우는 봄비[雨]가 내린다는 곡우다.

세월호 2주기

아직도 9명의 세월호 실종자는 망자(亡者)가 아닌 사자(死者)로 남아 있다. 장례를 치러야 비로소 사자는 망자가 되고, 유가족들은 그제야 마음으로 잊고[忘] 떠나보낼 수 있다.

수(壽), 부(富), 강녕(康寧), 유호덕(攸好德), 고종명(考終命); 오복(五福)을 다 바라지는 않지만 적어도 고종명, '사랑하는 가족에게 죽음을 고하는 것'만큼은 삶의 마지막에 주어져야 하는 최소한의 존엄이다.

국민은 국가가 어머니 같은 존재이기를 기대한다. 질풍지경초(疾風知勁草), 강한 바람에 질긴 풀이 드러난다고 했다. 세월호를 겪으면서 대한민국 정부와 우리 사회의 부끄러운 속살이 드러나고야 말았다.

세상 어느 어머니가 차가운 바닷속에 자식을 남겨두고 자식에 대한 최소한의 존엄을 앞에 놓고, 돈을 계산하고 득실을 따지고 있을까? 대한민국에서 그런 천박한 논의가 제기되는 것 자체가 '천민자본주의'의 서글픈 고백이다.

사회학자 서울대 송호근 교수는 『나는 시민인가』에서 대한민국의 국가 관리 기능과 서비스 기능이 아프리카 난민국 수준에 머물러 있는 것은 "개발 독재를 거쳐 경제적으로, 민주화 과정을 거쳐 정치적으로는 성장하였으나, 사회적으로는 시민 사회로 성장하지 못한 채 낡은 국가주의에 아직 갇혀 있기 때문"이라고 지적한다.

일제 강점기와 전쟁을 거치며 전통 가치관은 붕괴되었지만, 이를 대치할 '성숙한 민주적 사회적 공동체'에 대한 국가적 비전과 합의 없이 지난 세월을 허송하였다고.

과정의 중요성은 무시한 채 결과만을 중시한 '잘 살아보세'를 외치는 개발 독재하에서 사익과 출세가 이 사회의 화두였고, 결국 '×피아'와 '졸부'들이 롤 모델인 사회가 되고 말았다. 우리 사회는 민주화 과정에서도 공익(公益)과 공존(共存)을 위해 서로가 서로에게 양보하고 희생하는, 공익과 사익을 조화롭게 화합할 수 있는 '시민 의식'을 제대로 배우고 익히지를 못했다.

지금 '우리 사회'는 성장과 분배라는 명분을 내세우며 자신이 가진 것을 지키거나 혹은 더 가진 자의 것을 빼앗기 위해 '과거에 집착한 보수'와 '이념에 매몰된 진보'로 나뉘어져 있다. 이 둘은 지긋지긋한 권력 투쟁에 몰두하고 있지만, 정작 현재의 변화와 불확실한 미래에 대해 어떠한 청사진도 사회적 합의도 제시하지 못하고 있다.

___ 구름은 서로 닮은 동으로

이 땅에 삼풍백화점, 성수대교, 대구 지하철, 세월호 같은 재난이 발생할 때마다 '국가적 공적 책무를 담당하는 영역'들이 보신(保身)과 출세(出世)에 의해 마비되어 있고 학연이나 지연의 마피아, 사익(私益) 공동체에 의해 추악하게 점유당하고 있음을 번번이 드러내고 있을 뿐이다.

빠르게 흘러가버린 세월 속에서 무위자연(無爲自然), 아무것도 하지 않았는데도 어느새 스스로 다 커버린 아이들과 거울 속에서 하얗게 변해가는 머리카락과 탄력을 잃어가는 얼굴 주름들을 발견하게 된다. 이제 우리는 '지금 나에게 남아 있는 삶을 어떻게 살아가고 완성해야 하나?' 진지하게 고민하고 준비해야 할 때다.

어떻게 하면 '나'는 나이가 들면서 더 지혜롭고, 더 너그러워지고, 어떻게 하면 '우리'는 더 좋은 아버지, 더 좋은 남편, 더 좋은 친구가 될 수 있는지 그리고 다음 세대를 위한 '시민 사회' 같은 거대 담론까지도 풀어낼 수 있는지.

'결국 다 지나가버린 그날', 고종명하는 자리에서 "내 이럴 줄 알았다" 이런 탄식을 하지 않으려면 말이다.

NAH@丙申穀雨

여름

夏

효시낭고(梟示狼顧)

노랗게 마른 잔디 사이로 파릇파릇 새 잔디들이 가만가만히 솟아오르고 가지만 남았던 호수공원 개울가 나무들에 연초록 새 잎사귀들이 싱그럽게 돋아나, 세상이 온통 초록빛으로 포근해지는 신록(新綠)의 계절 5월이 화창하게 돌아왔다.

성긴 빗방울
파초 잎에 후두기는 저녁 어스름
창 열고 푸른 산과
마주 앉아라

— 조지훈, 「파초우(芭蕉雨)」

오늘은 입하, 봄이다 싶더니 어느새 여름[夏]이 시작되고 있다[立].

24절기를 기준으로 한 춘하추동(春夏秋冬)은 사람들이 피부로 느끼는 계절보다 항상 앞서간다. 아직 겨울이 끝나지 않은 것 같은데 입춘(立春),

봄이 시작되었다 하고 아직 봄꽃이 피는 늦봄인 것 같은데 입하, 여름이 시작되었다 한다.

24절기는 낮이 길어지기 시작하는 동지(冬至)를 겨울의 한가운데로, 낮이 짧아지기 시작하는 하지(夏至)를 여름의 한가운데로 생각하고 낮과 밤의 길이가 같은 춘분(春分)과 추분(秋分)을 봄과 가을의 한가운데로 본다. 즉 하늘과 땅에서 시작되는 내적인[質] 변화를 보고 계절의 시작과 끝을 정하는 데 반해 사람들은 땅에 드러난 누적된 하늘의 변화, 외적인[文] 날씨의 상태를 보고 계절을 느낀다.

질승문즉야(質勝文則野)

문승질즉사(文勝質則史)

본질은 강한데 드러난 외관[文]이 부실하면 거칠고 촌스럽다[野] 하고

치장은 잘 했지만 숨겨진 바탕[質]이 부실하면 겉만 화려하다[史] 한다

― 『논어』

문질빈빈(文質彬彬), 지혜로운 사람은 겉으로 드러난 모습[文]과 숨겨진 바탕[質]을 함께 보고 판단한다.

4월 27일, 남과 북의 정상은 한반도의 평화와 번영, 통일을 위한 판문점 선언에 서명하였다. 남북의 언론뿐 아니라 수많은 외신 기자가 지켜보고 CNN이 전 세계에 생중계를 하는 가운데 남과 북의 정상이 판문점에서 만나 군사 분계선을 함께 넘나들고, 도보 다리에서 밀담을 나누고, 상징적인 1953년생 소나무를 심고, 백두산과 한라산 흙을 덮고 한강물

서울의 늦봄

과 대동강 물을 뿌리었다.

돌아보면 김대중, 노무현 두 정부에서 많은 기대를 받으며 두 차례 남북 정상 회담을 하고 이젠 기억도 나지 않는 무언가를 합의하였지만 결국 핵 개발은 계속되었고 이 지경까지 왔다.

두 번의 실패에 따른 학습 효과 때문일까? 겉으로는 환영도 하고 기대도 해보지만, 우리의 마음속 깊은 곳에는 의구심이 박혀 있어 이번 정상 회담은 화해를 향한 불안한 시작, 겉만 화려한 史(사)에 불과할 뿐이다. 진정으로 CVID, 완전한 핵 폐기가 이루어질 때, 평화와 통일은 여정(旅程)을 겨우 시작할 것이다.

전쟁은 오래전에 멈췄지만, 평화는 아직 시작되지 않았다.

청년은 미래를 말하며, 걱정하고

중년은 현재를 말하며, 타협하고

노년은 과거를 말하며, 집착한다.

'우리의 소원은 통일'에 익숙한 5060 세대에게는 '통일은 대박'이라는 생각이 남아 있지만 졸업, 취업, 결혼, 육아 등등 눈앞에 닥친 미래가 온통 걱정인 2030 젊은 세대들에게는 '이러다 정말 통일되면 어쩌지?' 자신들이 짊어질 통일 비용이 당장 걱정이다.

용기가 비겁함을 이기는 것이 젊음이다. 꿈과 이상(理想)을 버리고 걱정하고 타협할 때, 젊은이들은 늙어가고 꿈을 품고 이상을 향해 용기 있게 도전할 때, 다시 젊음으로 돌아간다.

9,000조 원이 넘는 북한의 풍부한 지하자원, 우리말을 사용하는 근면하고 저렴한 인재들, 남한의 고급 기술과 기업가 정신, 통일 한국의 충분한 인구와 시장 등등 수많은 기회를 생각하면 그리고 언젠가는 반드시 이뤄야 할 통일이라면, 더 늦기 전에 함께 저질러야 하지 않을까?

다만 평화와 통일을 향한 새로운 역사는 이제부터인지 효시낭고(梟視狼顧), 부엉이처럼 눈 크게 뜨고 이리처럼 자꾸 되돌아보자. 희망은 붙잡고 균형 있는 시각을 유지하면서 드러난 모습과 숨겨진 본질이 같은지 진심(眞心)인지 끝까지 지켜보면서….

道谷@戊戌立夏

_ 구름은 서로 달은 동으로

흔들리며 피는 꽃

차창 밖을 스쳐 지나는 나지막한 산, 언덕 그리고 들판에는 여린 나뭇잎들이 한껏 푸르고 산골짝 개울에는 어린 시절의 추억 그대로 맑은 물이 졸졸 정겹게 흐르고 있다.

온 산하(山河)가 시원하고 상쾌하게 신록(新綠)으로 가득 차 있는 오늘은 벌써, 여름[夏] 문턱에 들어선다[立]는 입하다.

아직 아침저녁으로 선선한 기운이 남아 있지만 음력 4월 사(巳)월, 입하가 지나면서 바야흐로 여름으로 접어들고 있다.

지지(地支) 사(巳)는 방위 육기(六氣)로는 화(火), 2화에 해당하지만 변화 육기로는 목(木), 8목으로 목생화(木生火)의 변화가 일어나는 시기; 여름 화 기운을 만들어내는 봄 목 기운이 마지막 열정을 다하며 사그라지는 시기다.

봄기운이 사명(使命)을 다하고, 여름 기운을 만들어내듯 병신(丙申) 해월(亥月), 수중지목(水中之木) 입동(立冬)에 한반도 목의 변화가 시작되었다. 그리고 정유(丁酉) 사월(巳月), 화중지목(火中之木) 입하에 이르러, 온 국민의 변화 염원을 대표하여 대한민국의 향후 5년의 운명(運命)을 이끌어갈 대통령을 선출하며 마무리되고 있다.

운명이란 글자 그대로 기운이 명(命)하는 것이다. 운명은 정해져 있다고 믿는 운명론자들은 사람이 태어난 생년월일의 천시(天時); 사주(四柱) 팔자(八字)의 음양오행에 의해 사람마다 타고난 기운의 성질과 흐름이 정해지고 시간과 장소에 따른 음양오행 기운과의 상생(相生)[1] 상극(相剋)[2]에 의해 주어진 시간과 장소에서의 길흉이 결정된다고 믿는다.

천시만을 가지고 운명을 판단하는 사주추명학(四柱推命學)이 가장 기본 형태이나 사람의 운명을 결정짓는 지세(地勢)와 주변 사람들의 인화(人和)를 충분히 고려하지 않았기 때문에 한날한시에 태어난 사람들의 운명이 같을 수밖에 없는 치명적 한계를 안고 있다.

사주추명학보다 한발 더 나간 것이 기문둔갑(奇門遁甲)이다. 구궁(九宮)을 세우고 상하좌우에 주변 지역[地]과 주변 사람들[人]을 배치하고 분석할 수 있어 한날한시에 태어난 쌍둥이라도 살아온 장소와 대인 관계의 차이에 따라 운명이 달라진다.

하지만 사주추명학이나 기문둔갑을 응용한 명리학(命理學)은 입력 변수의 선택이 제한되어 있고, 운명을 판단하는 시스템 모델이 삶의 다양한 변화를 수용하기에는 너무 단순하다. 추상적 결과의 해석 방식에 따라 그 판단 또한 천차만별로 달라질 수 있어, 절대로 맹신(盲信)해서는 안 되는 것들이다.

예를 들면 윤달의 오행을 어떻게 정할 것인지에 따라 윤달에 태어난

양재천 애기똥풀

사람의 사주 해석은 완전히 달라질 수 있다. 또한 연월일시의 사주가 인간의 운명을 설명할 수 있는 적절한 모델인지에 대한 설득력 있는 증거는 어디에도 없다.

　음양오행(陰陽五行)을 기본으로 하는 동북아시아의 철학적·수학적 사유 체계는 그 근본 원리를 이해하고 검증된 분야에서 바른 목적으로 사용할 때 비로소 지혜와 직관을 얻을 수 있다. 따라서 불확실한 미래에 대한 판단을 사이비(似而非) 운명론에 위험하게 내맡기기보다는 차라리 몸과 마음을 맑게 정화한 후 정성을 다해 동기감응(同氣感應)[3]하여, 하늘이 내려주는 『주역』의 괘상(卦象)을 받아 불확실한 미래에 대한 지혜를 얻는 것이 오히려 현명하다.

천시불여지리(天時不如地利)

지리불여인화(地利不如人和)

하늘의 때는 땅의 이로움만 못하며

땅의 이로움은 사람의 화합만 못하다

—『맹자』

하여 사람들의 지혜를 모으고 정성을 다하여 천시, 하늘의 때가 적절한 시기인지를 살펴 움직임[動]과 멈춤[靜]을 결정하고 지리(地利), 땅의 이로움과 해로움을 살펴 머무르고[居] 떠남[移]을 결정한다면 천시와 지리의 이로움을 이용하면서도 잠재된 어려움을 피할 수 있다.

매사에 정성(精誠)을 다해 널리 배우고[박학博學], 근원을 깊이 있게 따져보고[심문審問], 신중하게 고민하고[신사愼思], 명백하게 판단하여[명변明辯] 철저하게 실행한다면[독행篤行] 강력한 인화(人和)의 기운이 형성되어 운명을 개척해갈 수 있게 해준다.

또한 다른 사람들의 마음을 어루만져주고, 도움이 필요한 사람들을 도와주고 이끌어주는 인화의 음덕(陰德)을 쌓으면 인과(因果)의 법칙에 의해 운명을 도와주는 상생(相生)의 신기(神氣)로 작용한다.

한반도는 대륙의 동북방, 간방(艮方)에 자리하여 '목'에 해당하는데 병신년과 정유년의 하늘 기운 '화'는 한반도의 '목' 기운을 빼앗아가고, 병신년과 정유년의 땅 기운 '금' 역시 한반도의 '목' 기운을 누르고 있어 천시의 기운이 한반도에 별로 유리하지 않은 시기다. 한반도를 둘러싼 미국·중국·일본·러시아에 강력한 극우파 지도자들이 등장하여 주변의 지세 또한 매우 험난하여 풀어 나가기 어려운 형국이다.

천장강대임어시인야(天將降大任於是人也)

필선고기심지(必先苦其心志)

공핍기신(空乏其身)

행불란기소위(行拂亂其所爲)

소이동심인성(所以動心忍性)

증익기소불능(曾益其所不能)

하늘이 장차 큰 임무를 사람에게 맡기고자 할 때

반드시 먼저 그 마음과 뜻을 괴롭게 하며

그 몸을 공핍하게 하고

하고자 하는 바를 어긋나게 하고 어지럽힌다

이렇게 하여 마음을 바꾸게 하고 참을성을 키우며

모자란 능력을 채우게 한다

— 『맹자』

최근 한반도가 겪고 있는 정치적·사회적·외교적 고난(苦難)과 위기(危機)가 모두 하늘이 장차 한반도에 큰 임무를 맡기기 위해 한반도의 위정자들과 주권자 시민들에게 부여한 의미 있는 시련(試鍊)과 교육(教育)의 시간으로 역사에 기록되기를 소망(所望)해본다.

흔들리지 않고 피는 꽃이 어디 있으랴

이 세상 그 어떤 아름다운 꽃들도

다 흔들리면서 피었나니

— 도종환, 「흔들리며 피는 꽃」

이제 다시 희망의 시작이다.

NAH@丁酉立夏

◇◇◇◇◇◇◇◇◇◇

1 나무 목(木)은 불 화(火)를 생(生)하고, 불 화는 타고 나면 흙 토(土)을 만들고[生], 흙 토에서 금속 금(金)이 나오며[生], 금이 녹아 물 수(水)가 되고[生], 물 수는 나무 목을 자라게 한다[生]. 예를 들어 '목'의 기운을 가진 사람이 오행으로 '수'를 가진 시간과 장소를 만나면 수생목(水生木) 상생의 원리에 의해 길(吉)하다고 판단한다.

2 나무 목은 땅 토를 뚫고 일어서며[剋], 땅 토는 물 수를 흡수하고[剋], 물 수는 불 화를 꺼버리고[剋], 불 화는 금속 금을 녹여버리며[剋], 금속 금은 나무 목을 찍어낸다[剋]. 예를 들어 '목'의 기운을 가진 사람이 오행으로 '금'을 가진 시간과 장소를 만나면 금극목(金剋木) 상극의 원리에 의해 흉(凶)하다고 판단한다.

3 주역 점(占)의 가장 기본 개념은 동기감응이다. 동기감응은 우리가 라디오를 듣고 싶을 때 라디오 주파수에 맞추어 듣고, TV를 보고 싶을 때 TV 채널에 주파수를 맞추어 보는 것과 같다. 몸과 마음을 정화하고 정성을 다해 간절히 소망하면[同氣] 그 소망하는 바가 거울에 비추어지듯이 드러난다[感應]는 것이다.

___ 구름은 서로 달은 동으로

희미한 젊은 날의 추억

드디어 아니 벌써 여름[夏] 문턱에 들어선다[立]는 오늘은 입하다.

녹음방초(綠陰芳草), 말 그대로 한낮이면 나무가 푸르게[綠] 우거진 그늘[陰]이 그리워지고, 산과 들엔 향기로운[芳] 풀[草]들이 가득한 계절의 여왕 5월이 왔다.

정말 세월이 유수(流水)와 같다. 벌써 고등학교 졸업 40주년, 지천명(知天命)을 넘어 이순(耳順)을 바라보는 나이라니. 40년 만에 만난 옛 친구들에게 흠뻑 취하여 돌아오던 그 밤, 길모퉁이 어스름 가로등 아래 수수꽃다리(라일락) 향기가 지난 세월의 그리움으로 내 가슴에 부서졌다.

화양년화(花樣年華), 꽃[花] 같았던[樣] 그 시절[年]은 아름다웠다[華]. 비록 정치적으로는 유신치하(維新治下) 암울한 시대였고 경제적으로는 국민 소득 2,000달러도 안 되는 궁핍한 시절이었지만, 우린 젊었고 그래서 꿈이 있었고 용기가 있었다.

우리에겐 '친구'가 있었기에 밤새 술 취하며 일상에 웃고 정치에 울분

첫사랑

을 토하고 세상의 혁명을 꿈꾸었다. 그 시절 함께라면 우린 무엇이든 할 수 있을 것 같았다.

우리에겐 '첫사랑'이 있었다. 긴 생머리에 주름치마, 찰랑거리는 그녀의 뒷모습만으로도 우리는 충분히 행복했다. 그녀를 향한 한없이 순수했던 첫사랑의 열병(熱病)은 아직도 이 가슴에 울컥하는 회한(悔恨)으로 남아 있다.

『논어』의 첫머리는 참으로 아름답고 처절하다.

학이시습지(學而時習之) 불역열호(不亦說乎), 평생 배운 것[學]을 삶에 녹여 내며[時習] 치열하게 살아온 우리들; 친구, 남편, 아버지로서의 삶은 희열 [說]이었을까?

유붕자원방래(有朋自遠方來) 불역낙호(不亦樂乎), 시대를 함께한 친구들이 고맙게도 아직 살아 있고[有朋] 40년 만에 멀리서[自遠方] 연어처럼 돌아오니[來] 이보다 더한 즐거움[樂]이 어디에 있으랴.

인부지이불온(人不知而不慍) 불역군자호(不亦君子乎), 이 시대가 이 세상이 우리를 알아주지 않았어도[人不知] 슬퍼하고 노여워할 수 없었던[不慍] 40년의 세월을 견뎌온 우리들의 삶은 진정 치열하였다.

화이불류(和而不流), 세상과 타협하며 살았지만[和] 결코 떠내려가지 않았던[不流] 우리; 이 세상 모든 아버지에게 누추한 헌사(獻詞)를 보내고 싶다.

산불재고(山不在高)

유선즉명(有仙則名)

수불재심(水不在深)

유룡즉영(有龍則靈)

사시누실(斯是陋室)

유오덕형(惟吾德馨)

산이 높지 않아도

신선이 살면 명산(名山)이요

물이 깊지 않아도

용(龍)이 살면 신령한 물이로다

지난 삶이 누추해 보여도

오직 우리들의 덕(德)만으로도 우리네 삶은 꽃처럼 향기로웠노라

— 유우석(劉禹錫), 「누실명(陋室銘)」

연분홍 치마 봄바람에 봄날은 갔다. 우리의 첫사랑을 추억하며, 박인환 시(詩), 박인희 노래 「세월이 가면」을 들으며 달달한 Kim Crawford, Sauvignon Blanc 한 잔에 취하면 어떠하랴.

"지금 그 사람 이름은 잊었지만 그 눈동자 입술은 내 가슴에 있네."

NAH@丙申立夏

아카시아 필 무렵

5월 중순이면 이팝나무, 조팝나무, 아카시아(아까시나무), 밤나무 하얀 꽃들이 한창 피어나고 화창한 햇볕을 받으며 산과 들의 풀과 나무들이 하루가 다르게 푸르러진다.

계절의 여왕, 5월답지 않게 올해는 유난히 비가 많고 아침저녁으로 선선한 날이 많다.

오늘은 소만, 작은[小] 생물들이 자라나 천지에 가득 찬다[滿]는 초여름의 길목이다.

음력 사월 초파일은 석가모니가 탄생한 날이다. 청정한 감로수로 아기 부처를 씻는 관불(灌佛) 의식을 거행하는 욕불일(浴佛日)로 등불을 켜는 풍습이 있어 등석(燈夕)이라 불렀다. 불교가 국교로 대접받던 고려 초기에는 중국처럼 정월 보름에 연등(燃燈) 행사를 하였는데, 고려 후기로 들어서면서 지금처럼 사월 초파일에 연등 행사를 하는 풍습으로 바뀌었다.

불교를 배척하고 유교를 숭상하던 조선 시대에도 사월 초파일이 되면

인가(人家)는 물론 관부(官府)와 시전(市廛)에서도 화려하게 등을 만들어 달았고, 궁중에서도 등을 만들어 임금에게 바쳐 정교함과 화려함을 경쟁하는 것이 오랜 관례였다고 한다. 초파일 저녁이면 야간 통행금지를 해제하여, 화려한 등을 구경하러 나온 장안의 남녀들과 시골에서 올라온 구경꾼들로 인해(人海)를 이루었다고 한다. 남산, 북악에 올라 온갖 등을 달아놓아 불야성이 된 시내를 구경하고 퉁소, 북, 거문고를 들고 도성(都城) 안 여기저기를 돌아다니며 놀았다 하니, 크리스마스가 다가오면 집 앞 정원에 화려한 트리를 만들어 전시하고 다른 집들의 개성 있는 트리를 구경하러 다니는 서구(西歐)의 풍습과 다르지 않았다.

신라 법흥왕 때 이차돈이 순교하면서 토착 종교와의 갈등을 접고 불교를 공인한 이래, 불교는 우리 문화 속에 이판사판에 야단법석하게 무진장 파고들어 다반사로 흔적을 남겨놓았다.

기존 토착 종교와의 융화 과정을 거치며 우리나라 사찰은 다른 한자 문화권에서 보기 힘든 독특한 특징들을 보여준다. 한자 문화권에서는 불상을 모신 본전을 대개 대불전(大佛殿)이라 부르는데, 우리나라에서는 독특하게 대웅전(大雄殿)이라 부른다. 대웅은 '깨달음을 얻은 사람'을 지칭하는 범어 마하비라(Mahavira)를 한역(漢譯)한 말로, 『법화경』에서 석가모니를 위대한 영웅 또는 대웅이라 부른 데서 유래하였다고 하는데, 혹자는 『고려팔관잡기』[4]를 인용하여 곰 토템을 바탕으로 한 토착신 환웅(桓雄)을 모시던 대웅전에서 유래한 것이라 주장하고 있다.

다른 지역 불교와는 달리 우리나라 절의 대웅전 뒤에는 산신각(山神閣),

___ 구름은 서로 닮은 동으로

삼신각(三神閣), 삼성각(三聖閣), 독성각(獨聖閣), 칠성각(七星閣) 같은 다양한 형태의 토착 신앙을 숭배하는 공간이 공존한다. 동북아시아의 토착 종교는 천지신명(天地神明)이라는 천신(天神), 지신(地神), 인신(人神)을 모두 숭배하였다. 생사(生死)를 관장한다는 북두칠성을 신격화한 칠성신, 즉 천신은 칠성각에 모시고 지역의 높은 산을 관장하는 산신, 즉 지신은 산신각에 모셔놓았다. 단군, 최영 장군, 관운장 같은 토착 신앙의 인신은 삼성각과 독성각에 모셔놓았다.

한반도를 포함한 동북아시아에서는 세상을 천지인(天地人) 삼재(三才)로 나누어 구분하였고, 삼(三)을 성스러운 숫자로 인식하였다. 천지인을 상징하는 삼태극(三太極) 문양, 사찰이나 선교(仙敎) 단체에서 많이 사용하는 삼원·삼점을 포함하는 원이삼점(圓伊三點) 문양 속에는 천지인 삼재 사상이 숨어 있다. 또한 음양(陰陽), 양태극(兩太極)만 다룬 것처럼 보이는 『주역』에도 천지인 삼재가 육효(六爻) 속에 고스란히 투영되어 있다.

육효지동(六爻之動) 삼극지도야(三極之道也)

유천도언(有天道焉) 유인도언(有人道焉) 유지도언(有地道焉)

겸삼재이양지(兼三才而兩之) 고육(故六) 육자(六者) 삼재지도(三才之道)

육효의 움직임은 천지인 삼극(三極)이 움직이는 것이다

천도, 인도, 지도에 음양이 있어

육효가 되니 삼재의 도(道)를 나타낸다

—『주역』

일제 강점기 시절, 불법을 좀 안다고 자부하는 일본군 대좌가 있었다. 충청도 산골에 도통을 한 유명한 스님이 있다는 소문을 듣고, 일본 군복을 폼 나게 차려입고 허리에는 일본도를 차고 스님을 찾아 나섰다. 힘들게 산사에 올라 도통했다는 스님을 만나고 보니, 키는 도토리만 한데 콧물을 줄줄 흘리며 땟물이 자르르한 장삼을 입은 초라한 행색의 땡추였다. 마음속으로 실망이 커서 당장 돌아가고 싶었지만, '조선의 도통한 스님이란 작자가 얼마나 불법을 아는지?' 시험해보기로 하고, 땡추에게 다가가서는 거만한 태도로 질문을 던졌다.

"도통한 스님이라는 소문을 듣고, 불법이 무엇인지 한 수 배우러 왔소이다."

그러자 땡추는 형형한 눈동자를 굴리며, 장삼자락으로 콧물을 한번 훔치더니 "야 이놈아! 불법을 배우러 왔으면 혼자 올 것이지 웬 잡놈들을 저렇게 잔뜩 데리고 왔어?" 하며 호통 치는 것이 아닌가? '혼자 왔는데 누굴 데리고 왔다고 하나?' 뒤를 돌아보고 돌아서는데 땡추가 난데없이 귀싸대기를 올려붙이니 눈앞에 불꽃이 번쩍 튀었다.

"아니 불법을 배우러 왔다는 놈이 지가 혼자 왔는지 누굴 데리고 왔는지도 모르고 있으니, 그래서 어디 불법을 배울 수 있겠느냐?" 땡추는 다시 한 번 호통을 치더니 휙 뒤로 돌아서서 재빨리 사라져버렸다.

관사로 돌아온 일본군 대좌가 가만히 생각해보니 '땡추의 말이 맞는 것 같기는 한데, 아무래도 이놈 땡추가 제대로 답변을 할 수가 없으니 나를 속였구나' 하는 생각이 불끈 솟아올랐다. 그러자 갑자기 얻어맞은 뺨

구름은 서로 달은 동으로

월정리 초여름 바다

이 욱신욱신 쑤셔오는 것 같아 도저히 잠을 이룰 수가 없었다. 며칠 후 일본군 대좌는 다시 땡추를 찾아 산을 오르며 '오늘은 내가 이놈 땡추에게 절대로 속지 않고 혼을 내주리라' 다짐하였다. 산사에 들어서니 마침 땡추가 대웅전 계단에 앉아 졸고 있었다. 일본군 대좌는 일본도를 뽑아들고 달려가 다짜고짜 목에 겨누었다.

"이놈 땡추야, 잘 만났다. 지난번에는 네가 얄팍한 꾀로 나를 속였지만, 내가 오늘은 절대 당하지 않겠다. 자 오늘은 어디 극락과 지옥에 대해 한 수 가르쳐보거라."

이렇게 소리를 질렀다. 땡추중은 놀란 듯 눈을 두리번거리더니 갑자기 일어서서 재빠르게 도망을 치는 것이었다. 일본군 대좌는 '이놈이 자신이 없으니 도망을 치는구나. 너 오늘 제삿날인 줄 알아라' 하고 땡추를 쫓아가는데, 땡추 장삼자락을 틀어잡고 다람쥐 새끼처럼 도망가니 어찌나 빠른지 쉽게 잡히지를 않았다. 대웅전 뒤뜰을 지나고, 산신각 앞을 지나고, 요사채 앞을 지나 불이문을 지나도록 잡히지 않던 땡추가 드디어 극락전 앞에서 갈 곳이 없는 궁지에 몰리게 되었다. 숨을 몰아쉬고 콧물을 질질 흘리며 땀범벅이 되어 불쌍한 꼴을 하고 앉아 있는 땡추의 목에 일본군 대좌는 의기양양하게 칼을 들이대고는 소리를 높였다.

"극락과 지옥에 대해 제대로 답하지 못하면 네 놈의 목을 베겠다."
그때 땡추가 갑자기 태연하게 정색을 하면서 말하였다.
"이것이 지옥이지요." 일본군 대좌, 듣고 보니 '이런 게 지옥이겠구나' 싶어 목에 겨눈 칼을 슬며시 내렸다. 그러자 땡추중 콧물을 닦고 씨익 웃으며 "이것이 극락입니다." 두 번째 법문을 날리는 것이었다.
일본군 대좌는 하알! 단 두 마디에 큰 깨달음을 얻고는 마당에 넙죽 엎드려 큰절을 올리고 이후 스승으로 극진히 모셨다고 하니 아마도 불법을 조금 알기는 알았던 모양이다.

제행무상(諸行無常)
모든 존재하는 것[諸行]은 영원하지 않다[無常].
고집멸도(苦集滅道)
고통[苦]은 무상한 것에 집착[集]하며 생겨나니 마음마저 사라질 때[滅] 나아갈 길[道]이 드러난다.

____ 구름은 서로 달은 동으로

삼교서적(三敎書籍) 언이지동(言異旨同)

유불선 삼교의 서적은 말은 비록 다르지만 같은 것을 가리킨다.

내일은 부처님 오신 날, 믿고 있는 종교와 관계없이 하루쯤은 오만과
편견을 내려놓고 2,500여 년 전 이 땅을 다녀간 큰 스승의 말씀을 한 번
쯤 가슴에 새겨봐야 하지 않을까?

道谷@戊戌小滿

---

4 불상(佛像) 시입야(始入也) 건사칭대웅(建寺稱大雄), 불상이 처음 들어왔을 때 절을 짓고 대
웅이라 하였다. 차승도지습고잉칭(此僧徒之襲古仍稱) 이본비승가언야(而本非僧家言也), 이것은
승도들이 옛것을 따라 부른 것이지, 본래 승가의 말은 아니었다.

실리콘밸리 이야기

산등성이 뽀얗게 핀 아카시아꽃들이 싱그러운 향기를 흩날리고 낮은 경사면을 따라 듬성듬성 조팝나무 하얀 꽃이 만개하였다. 그리고 들에는 청보리가 한껏 익어가는 푸르른 계절 5월이 가고 있다.

오늘은 작은[小] 생물들이 성장하여 가득 찬다[滿]는 초여름의 길목, 소만이다.

3년 만에 다시 찾아간 실리콘밸리⁵는 아직 초봄이었다. 여전히 산타크루즈 마운틴에는 태평양에서 넘어오는 구름들이 하얀 모자처럼 걸려 있고 동쪽 이스트 힐의 민둥산들은 낯익은 노란색으로 변하고 있었다. 태평양 연안을 따라 내려오는 캘리포니아 한류(寒流)의 영향으로 샌프란시스코를 비롯한 실리콘밸리는 선선한 날씨를 벗어나지 못하고 있었지만, '하이웨이 101'과 1번 국도 'El Camino Real'을 따라 자리 잡고 있는 많은 스타트업 주변은 여전히 10억 달러 유니콘을 쫓는 군상(群像)들의 뜨거운 열기로 가득 차 있었다.

지구촌의 기술 혁명을 주도하는 실리콘밸리의 역사는 1938년부터 시작된다. 스탠퍼드대의 프레데릭 터만 교수는 학생들에게 동부의 대기업에 들어가는 대신 새로운 회사 스타트업을 창업하도록 학생들의 용기를 북돋아주었다.

1938년 데이브 패커드는 뉴욕의 GE를 그만두고 팔로알토로 돌아와 빌 휴렛과 함께 The HP Garage[6]를 빌려 제품 개발을 시작하고, 1939년 정식으로 HP를 창업하게 된다. 첫 제품이었던 음향 발진기는 뛰어난 성능과 저렴한 가격으로 대성공을 거두게 되고 이후 HP는 어떻게 스타트업을 만들고, 어떤 가치를 추구하며 운영해야 하는가를 보여주는 실리콘밸리 스타트업의 첫 기념비적인 회사가 되었다.

실리콘밸리의 두 번째 기념비적인 회사는 1957년에 창립된 페어차일드 반도체(Fairchild Semiconductor)다. 벨연구소에서 트랜지스터를 발명한 3인 중 하나로 노벨 물리학상을 받은 윌리엄 쇼클리는 1956년 고향인 팔로알토에 스탠퍼드대 방문 교수로 왔다가 자신의 발명을 상업화하기 위해 쇼클리 반도체 연구소[SSL]를 설립하게 된다.

하지만 피해망상증이 심했던 윌리엄 쇼클리의 형편없는 인재 관리와 사업 운영에 반발하여 결국 배신자 8인[Traitorous Eight][7]으로 알려진 로버트 노이스, 고든 무어 등은 회사를 그만두고, 동부의 페어차일드 카메라 앤 인스트루먼트로부터 창업 자금을 지원받아 1957년 페어차일드 반도체를 창업하게 된다.

페어차일드는 당시의 주류 기술이던 게르마늄 대신 모래에서 쉽게 구할 수 있는 실리콘으로 트랜지스터를 만들고 집적 회로[IC]를 개발한 첫

비행기에서 내려다본 실리콘밸리

회사였다. 실리콘으로 만든 반도체는 결국 반도체 기술 혁신의 주류를
형성하고 주도하면서 이후 인텔, AMD, 인터실, 내셔널 세미컨덕터 등 페
어칠드런[fairchildren, 페어차일드의 아이들]이라 불리는 많은 스핀오프 회사를
만들어내며, 페어차일드는 '실리콘밸리의 신화와 전설'이 된다.

  오늘날 우리의 생활을 지배하는 수많은 혁신 기술; 집적 회로, 마이크
로프로세서, PC, 스마트폰, 인터넷, 유전 공학 등이 실리콘밸리에서 나왔
고 지금도 나오고 있고 앞으로도 나오게 될 것이다.
  이러한 혁명을 가능하게 하는 실리콘밸리의 비밀은 (1) 프레데릭 터만
교수로부터 시작된, 기업을 세우고 위험을 감수하는 기업가 정신이 넘치
는 문화, (2) 도전 정신과 창의성으로 가득 찬 인재를 길러내는 스탠퍼드,
UC 버클리 같은 대학들, (3) 스타트업 도전자들에게 기꺼이 투자하고 부

　　　__ 구름은 서로 닮은 동으로

족한 점을 채워주는 개인 투자자 엔젤들과 벤처 캐피탈 등으로 구성된 자본 및 투자 인프라, (4) 벌집 효과라 불리는, 실패해도 채용해줄 많은 회사가 주변에 존재하는 생태계가 오랜 세월에 걸쳐 구축되어 있기 때문이다.

실리콘밸리의 스타트업들이 성공하는 이유는 뜻밖에 간단하다. 세상은 계속 변하고 있고 새로운 문제들이 생겨나고 있는데 기존 회사들은 기존 방식들에 집착해 변화를 거부하기 때문에 새로운 문제들을 인정하지도 않고, 도전하여 해결하려 하지도 않는다. 늘 꿈꾸고 열정으로 포기하지 못하는 스타트업 사람들이 변화를 받아들이고, 기어코 해결책을 만들어 혁신을 주도해가는 것이다.

Ye that through your heart today

Feel the gladness of the May!

What though the radiance which was once so bright.

Be now for ever taken from my sight,

Though nothing can bring back the hour

Of splendor in the glass, of glory in the flower;

We will grieve not, rather find

Strength in what remains behind;

지금 마음으로 5월의 기쁨을 느끼는 그대들이여

한때 그렇게 빛나던 그 광채가 이제 영영 사라진다 해도

초원의 빛, 꽃의 영광! 그 시간들이 다시는 되돌아오지 않는다 해도

우리는 슬퍼하지 않고

차라리 그 속 깊이 숨겨진 강렬한 빛을 찾으리

— 윌리엄 워즈워스, 「영생의 깨달음에 부치는 노래」

여기에서도 실리콘밸리에서도 사람들의 삶은 여전히 계속되고 있고 눈부시게 좋은 날, 우리들의 5월이 가고 있다.

나는 아직도 작은 것이 자라 가득 차는 소만(小滿)의 꿈을 꾸며, 젊은 날의 뜨거움으로 되돌아갈 수 있게 하는 "초원의 빛과 꽃의 영광"의 추억 속에 잊힌 오묘한 열정, 그 강렬함을 다시 그리워하고 있다.

NAH@丁酉小滿

◇◇◇◇◇◇◇◇◇

5 실리콘밸리는 서쪽의 산타크루즈 마운틴, 동쪽의 이스트 힐 사이의 지역으로 산호세, 서니베일, 팔로알토, 먼로파크, 밀피타스 등의 도시들이 자리하고 있다.

6 The HP Garage, 이 창고는 실리콘밸리 발상지로 선정되어, 역사 유적지 No. 976으로 등록하여 보존하고 있다.

7 왼쪽부터 고든 무어(인텔 창업), 쉘던 로버츠(아멜코 창업), 유진 클라이너(클라이너 퍼킨스 투자회사 창업), 로버트 노이스(인텔 창업), 빅터 그리니치(EMS 창업), 줄리어스 블랭크(Xicor 창업), 진 호에르니(인터실 창업) 및 제이 라스트(아멜코 창업). 이들은 실리콘밸리를 만든 아버지[Fathers of Silicon Valley]로 불리기도 한다.

|

초여름의 길목에서

아카시아 향기 달콤한 광교 호수공원 언덕에는 하얀 꽃이 만발한 '조 팝나무'가 제철을 만났다. 오늘은 작은[小] 생물들이 성장하여 가득 찬다 [滿]는 초여름의 길목 소만이다.

5월 중순 소만, '보릿고개' 무렵에 피는 꽃나무에는 웃프[웃기고 슬프]게 도 밥 이름이 붙어 있다. '이팝나무'는 '멀리서 보면 흰쌀밥을 수북이 쌓 아놓은 것 같다' 하여 이팝(이밥)나무가 되었고, '조팝나무'는 '꽃 모양이 꼭 좁쌀을 넣어 지은 조밥 같다' 하여 조팝(조밥)나무가 되었단다.

벌써 절기는 초여름[孟夏]으로 들어서서, 오늘 낮에는 폭염주의보까지 발령되었지만 '소만 바람에 설늙은이 얼어 죽는다'고 아직도 새벽 공기는 제법 쌀쌀하게 느껴진다.

지구촌을 휩쓸고 있는 최강의 엘니뇨 탓일까? 계절의 여왕답지 않게 올해는 강하게 바람이 불고 비가 내리는 날이 많았다. 작년 여름은 소양 호 바닥이 드러날 정도의 모진 가뭄으로 우리의 애를 태우더니만 다행히 해가 바뀌면서 한반도의 가뭄은 조금씩 해갈되고 있다. 하지만 캐나다 대형 산불, 미국 휴스턴 홍수 등등 지구촌 곳곳의 기후 변화는 자못 요란스럽다.

대략 5년마다 주기적으로 벌어지는 엘니뇨, 라니냐 같은 해수면 온도 변화로 인한 이상 기후는 사실 여러 차례 한반도와 지구촌을 강타했던 소(小)빙하기의 '기후 재앙'과 비교하면 이상 기후보다는 자연스러운 지구 환경의 주기적 변화에 가깝다.

조선 현종 재위 11년, 12년인 1670년[庚戌]부터 1671년[辛亥] 사이에 벌어진 경신 대기근(庚辛大飢饉), 우리 역사에 기록되어 있는 최악의 기후 대참사는 보릿고개 수준이 아니었다.

"경술년 새해 벽두부터 유성(流星)이 날고 운석(隕石)이 떨어지더니 햇무리 달무리가 한 달 내내 나타나고, 기온이 떨어져 음력 7월까지 서리가 내리고 우박이 들판을 쑥대밭으로 만들고 극심한 가뭄, 메뚜기 떼와 새 떼의 난동에 이어 장마철에는 폭우, 초대형 태풍들이 몰려오고 해일이 제주도를 휩쓸었다"고 『현종실록』은 전한다.

"신해년 들어 경술년 대흉작(大凶作)의 영향으로 아사자가 속출하고, 유민(流民)이 창궐하고, 전염병마저 돌면서 인육을 먹고 가족을 버리는 패륜이 생겨나고, 국가 기능은 마비될 지경에 이르렀고, 2년간의 대기근으로 조선 인구의 약 10%, 50만 명 이상이 굶어 죽었다"고 한다.

전 세계에 남아 있는 기록과 기후학자들에 의하면, 조선 시대 중반에 해당하는 1550년부터 1750년 전후 약 200여 년은 지구에 소빙하기가

조팝나무

덮쳤던 시기였다.

경신 대기근 훨씬 이전인 1463년, "지리산 골짜기에는 여름이 지나도
록 얼음과 눈이 녹지 않고, 음력 7월에 눈이 내리고 8월에는 두껍게 얼음
이 언다. 초겨울에도 불구하고 폭설이 내려 골짜기가 모두 평평해져 사
람들이 다닐 수가 없다"는 기록이 이륙(李陸)의 『유지리산록(遊智異山錄)』에
남아 있다.

역사에 남은 기록들에 의하면, 경신 대기근이 덮쳤던 17세기 유럽, 몽
블랑 산자락 샤모니에서는 주교와 300여 명의 마을 주민들이 모여 "알
프스의 빙하가 더 이상 마을로 침범해 내려오지 못하게 해달라"고 신의
가호를 비는 미사를 열기도 했다. 영국의 템스강과 네덜란드 운하가 얼어
붙고, 발트해와 북해뿐 아니라 심지어 지중해의 마르세유 항구까지 얼어
붙는 추위가 유럽을 휩쓸었다.

중국에서도 아열대 지역인 회수(淮水, 화이허강)와 동정호(洞庭湖, 둥팅 호)가

얼어붙고, 강남 열대작물들이 얼어 죽고, 남부의 운남성(雲南省. 윈난성)까지 강한 눈보라가 불어닥쳤다. 명(明)나라가 민란으로 쇠약해진 것도, 만주 여진족의 청(清)나라가 명나라 땅으로 남진(南進)할 수밖에 없었던 것도, 한반도에서 추위를 이기기 위해 온돌이 전국적으로 정착하고 온돌을 놓을 수 없는 이층 한옥집이 사라지기 시작한 것도 소빙하기가 만들어낸 수많은 변화의 일부였다.

캘리포니아 데스밸리 하늘 한가운데서 수많은 별이 도도하게 빛나던 은하수, 그 은하수를 문득 가로지르며 사라지던 별똥들이 가슴속에 사무치던 순간들이 떠오른다. 적막강산(寂寞江山), 모든 소리가 멈추고 호흡마저 잊은 순간, 광대하고 영원한 우주(宇宙) 속에서 '나, 한없이 작음'이 느껴지던 또렷한 찰나의 느낌 그대로.

'구름이 흐르거니 누군 나그네 아니며, 국화 이미 피었는데 나는 누구인가?' 부질없는 어둠의 시대를 나그네 구름처럼 부질없이 떠돌던 만해(萬海)의 화두(話頭)처럼 장대한 우주와 끝없는 시간 앞에서 문득 모든 것이 부질없다.

아름다운 맹하(孟夏)의 계절 5월에는 우리가 매 순간 매달리고 끌려가고, 사랑하고 미워하고, 환호하고 걱정하는, 밥그릇도 승진(昇進)도, 사랑도 명예도, 소빙하기와 지구 온난화도 모두 부질없이 바람처럼 스윽 지나보내고 좌망(坐忘)의 빈 마음자리에 오직 편안함과 감사함만 저절로 가득하게 하고 싶다.

NAH@丙申小滿

___ 구름은 서로 닮은 둥으로

수원 디지털시티를 떠나며

> 못 잊어 생각이 나겠지요
> 그런대로 한 세상 지내시구려
> 사노라면 잊힐 날 있으리다
>
> ─ 김소월, 「못 잊어」

요즘처럼 눈이 부시게 푸르른 날에는 뜨거웠던 젊은 시절, 초여름 날의 잊지 못할 추억들이 문득문득 떠오른다.

계절은 벌써 여름의 세 번째 절기 망종으로 접어들고 있다.

회자정리(會者定離), 만남이 있으면 헤어짐이 있게 마련이다. 중학교 국어 선생님이 전근(轉勤)을 가시면서 남겼던 이 말을 전(前) 프린팅솔루션 사업부 직원들에게 보내는 마지막 이메일에 남기고 마음속으로는 영영 떠나보내지 못할 것 같은 27년 세월을 내려놓고 눈부신 5월의 마지막 날에 나는 디지털시티를 떠났다.

사무실에서 마지막으로 바라본 R5와 R4

　새벽 출근길 반겨주던 개울가 징검다리들, 붉은 벽돌 삼각형 지붕 건물들아, 안녕! 구수한 밥 냄새 풍기며 왁자지껄하던 사내 식당의 정겨웠던 풍경들도 안녕! 사무실 창밖에 언제나 늠름하게 서 있던 R5, R4빌딩들과 함께 일하던 직원들아, 모두 안녕! 어스름 퇴근길 문 앞에서 기다리던 암갈색 에쿠스, 너도 이젠 안녕!

　사위지기자사(士爲知己者死)
　여위열기자용(女爲悅己者容)
　선비는 자신을 알아주는 사람을 위해 기꺼이 죽고
　여인은 자신을 사랑해주는 사람을 위해 단장한다

―『설원(說苑)』

돌이켜보면 첫 직장 KBS에서의 5년은 남태평양 피지 같은 휴양지의 편안한 삶이었고, 너무도 편하고 새로운 변화가 없는 것이 지겨워 KBS를 떠나 유학(遊學)이란 변화를 선택했었다. 기흥과 수원을 오간 지난 27년은 폭우가 쏟아지는 여름 장마와 눈보라 몰아치는 엄동설한과 함께 꽃 피는 봄과 황금빛 들판의 가을도 있었던, 변화무쌍하고 치열했던 삶의 현장이었다.

매일생한불매향(梅一生寒不賣香)

월도천휴여본질(月到千虧餘本質)

매화는 일생 추워도 향기를 팔지 않으며

달은 천 번을 이지러져도 다시 차오른다

ICT 버블이 한창이던 1999년, 벤처 대표직이라는 장밋빛 유혹을 미련 없이 외면하고 수도권 대학교수라는 명예로운 제안에 한눈팔지 않고 ICT 전쟁터를 떠나지 않은 것은 내가 좋아하는, 내가 꼭 잘 하고 싶었던 일들이 더욱 소중했기 때문이었다.

때로는 울고 싶고, 가슴이 터질 것처럼 분했던 시간들을 견디어낼 수 있었던 것은 치사하게 뒤통수치는 더러운 인간들의 악취보다는 믿고 끌어준 선배들, 동고동락을 함께한 동료들, 믿고 따라준 후배들이 훨씬 더 향기로웠기 때문이었다.

그렇게 너를 사랑했던 나

사랑이란 게 사랑이란 게

상처뿐인데 아픈 건데

그 아픈 상처가 날 울려도

내 안에 잠든 너의 기억은 사랑이었다

— 이승철, 「사랑은 아프다」

수많은 서울 시민처럼 씩씩한 뚜벅이가 되어 BMW[8]를 타고 다니며 가끔은 헤드폰으로 좋아하는 음악을 들을 수 있는, 평범한 일상으로 다시 돌아가고 있다.

지난 시절을 기록한 수첩과 사진들을 정리하고 쓸모없는 흔적들을 버리면서 이제는 거인의 어깨 위에서 내려왔음을 속절없이 절감하고, 거인의 어깨 위에서 거인처럼 살았던 난쟁이의 착각도 함께 지워버리고 있다.

그리고 무엇이든지 할 수 있을 것 같았던 2030 젊은 시절의 빛바랜 기억들을 들춰보며 그 시절 내가 가지 않았던 길들을 새삼스럽게 떠올려보고, 다시 새로운 꿈을 꾸기 시작한다.

이제 다시 시작이다. 그리고 그 시작의 끝은 나도 아직 알지 못한다.

道谷@戊戌芒種

◇◇◇◇◇◇◇◇◇◇

8 BMW는 버스(Bus), 지하철[Metro], 도보[Walk]의 약자(略字).

오디 익어가는 시절

질푸르게 무성한 가로수 나뭇잎들 사이로 따가운 햇살이 눈부시게 쏟아지는 6월이 왔다. 양재천을 따라 운치(韻致) 있게 늘어선 메타세쿼이아 터널 양 옆에는 시원하게 녹음(綠陰)이 드리워져 이른 더위에 지친 사람들을 쉬어가게 한다.

오늘은 벼보리 같은 곡식[芒]의 종자[種]를 심고 거둔다는 절기, 망종이다.

망종이 지나면 음력 5월, 오월(午月)로 접어들며 계절은 한여름 중하(仲夏)로 접어들어 여름 화(火) 기운이 절정에 이르게 된다.

동지(冬至)부터 차오른 양기(陽氣)가 망종과 하지(夏至) 사이에 최고조에 다다른다. 지지(地支) 오(午)는 방위 육기(六氣)와 변화 육기 모두 화(火, 7火)에 해당한다. 망종을 거쳐 하지까지 뜨겁게 타오른 오화(午火)의 기운은 삼복(三伏)이 지나야 소진되며 뜨거운 토(土, 10土)와 가을 기운 금(金, 4金)을 남기게 된다.

이 시기의 괘상(卦象)은 중천건괘[重天乾卦, ䷀]로 이때 하늘의 운행은 자

양재천 메타세쿼이아 길

강불식(自彊不息), 스스로 굳세어 쉬지 않는다.

올해는 우수(雨水)에 차오른 양기가 평년보다 태과(太過)하여 봄꽃들이 일찍 피었는데, 음력 5월에 윤 5월까지 더해져 중복(中伏)까지 두 달이나 오화가 계속되는 상(像)으로 평년보다는 화기(火氣)가 태과한 아주 뜨거운 여름이 되지 않을까 걱정된다.

다가오는 폭염의 계절에 수명(壽命)을 보전하기 위해서는 무엇보다 정(精)을 잘 보존해야 한다.

정능생기(精能生氣)

기능생신(氣能生神)

___ 구름은 서로 닮은 동으로

영위일신(營衛一身)

시인즉생인(施人卽生人)

유기즉생기(留己卽生己)

정은 기(氣)를 생기게 한다

기는 신(神)을 생기게 하며

몸을 기르고[營] 지킨다[衛]

정은 여인에게 베풀면 아기를 만들고

나에게 남기면 나를 살게 한다

—『동의보감』

'정'이 초의 몸통이라면, '기'는 초를 태워 얻는 촛불이며, '신'은 촛불의 밝은 빛이다. 정충기장신명(精充氣壯神明), 정이 충만하면 기가 장대해지고 신이 밝게 된다. 정을 충만하게 키우고 보존해야 몸을 지키고 기를 장대하게 할 수 있으며, 기가 순수하고 장대할 때 신이 맑고 밝게 오래 유지될 수 있다.

'정'을 파자(破字)하여보면, 쌀 미(米) 자에 푸를 청(靑) 자가 합해진 것이다. 오곡(五穀)의 푸른 기운, '엑기스'가 '정'을 만든다. 가마솥에 쌀을 안치고 밥을 하여 뜸을 들이고 나면 밥물이 흘러 모여 동그랗고 오목하게 엉긴 곳이 생기는데 바로 염담(恬憺)한 쌀의 정기(精氣)가 가득 고인 곳이다. 자고로 현명한 새댁은 그 부분을 맨 먼저 듬뿍 퍼서 신랑 밥그릇에 따로 가득 담아주고 반드시 끝까지 다 먹게 하였다.

'기'를 파자(破字)하여보면, 기운 기(气) 자에 쌀 미(米) 자가 합해진 것이다. 오곡의 정수(精水)가 호흡을 통해 단전(丹田)에서 기화(氣化)하여 음기인 영기(營氣)와 양기인 위기(衛氣)로 변하는데 우리 몸을 안에서 키우고[영양營養], 밖으로부터 생명을 지키는[위생衛生] 역할을 한다. 절제된 식생활을 통해 정을 맑게 유지하고 귀(貴)하게 보전하며 아주 오랫동안 가늘고, 길고, 깊은 호흡을 편안하게 지속할 수 있다면 바야흐로 신묘한 진기(眞氣)가 형성되어 영롱한 신명(神明)을 밝힐 수 있다.

보릿고개 막바지 망종은 뽕나무 열매 오디가 달게 익어가는 시절이다. 옛 농부들은 새들이 오디를 따 먹느라 콩밭에 나타나지 않고, 새들이 뿌려놓은 검붉은 오디 똥을 보고 오디가 익어감을 알았단다.

수원북중학교 시절, 담이 없는 수원농고 뽕밭에 들어가 입술이 까맣게 되도록 오디를 따 먹던 기억이 문득 떠오른다.

상전벽해(桑田碧海), 세상과 우리가 정말 빠르게 많이 변했고 변해가는 동안 우리들의 아름다웠던 시절, 자연(自然)과 함께하며 행복해하던 그 많던 소박한 즐거운 삶을 우리는 과거의 추억 속에만 가두어놓은 채 영영 잊어버리고 바보처럼 살아가고 있는 것은 아닐는지.

NAH@丁酉芒種

우리 은하를 주유하며

"내 나이를 세어 무엇하리, 나는 오월 속에 있다"던 5월은 가고, "유월이 되면 원숙한 여인같이 녹음이 우거지리라"는 6월이 왔다.

오늘은 벼보리 같은 곡식[芒]의 종자[種]를 거두고 심는다는 망종이다.

지금은 그저 놀러 다니기에 좋은 유람의 계절이지만, 망종은 농경 시대에는 희망의 계절이었다. 추운 겨울을 버텨낸 보리를 거두고 나면 지긋지긋했던 보릿고개에서 해방되었고, 가을 풍년 꿈을 꾸며 논에 모를 심는 고단함도 잊을 수 있었던 행복한 시절이었다.

망종이 지나면 본격적으로 여름이 시작된다. 낮은 여전히 길어지고 날씨도 뜨거운, 사상(四象)으로 보면 태양(太陽)의 계절로 천지만물의 모든 기운이 드러나고 양기(陽氣)가 가장 충만한 시절이다.

하지만 하지(夏至)가 지나게 되면 어느새 낮은 다시 짧아지며 사상으로 보면 소양(少陽)의 계절로 바뀐다. 양(陽)이 절정에 이른 시기에 다시 음(陰)이 시작되는 것이 이 우주가 순환하는 방식이다.

보리 이삭

　우주(宇宙)의 '우'는 상하사방(上下四方), 공간적 세계를 가리키며 '주'는
고금왕래(古今往來), 시간적 세계를 가리킨다.

　관측 가능한 우주에는 1,700억 개 이상의 은하들이 존재하는데 그 많
은 은하 중 하나인 우리 은하[Milky Way, Galaxy]에 태양계가 속해 있다. '우
리 은하'에는 태양계를 포함하여 무려 2,000억 개의 별들이 존재하는데
그 별들이 몰려 있는 '우리 은하'의 중심부가 바로 밤하늘에 보이는 은하
수다.

　태양계는 '우리 은하'의 비교적 중간, '오리온 팔'의 안쪽에서 '우리 은
하'를 공전하고 있는데 초당 20킬로미터, 시속 약 7만 킬로미터의 상대
속도로 '우리 은하'를 달려서 한 번 공전하는데, 우와! 약 2억 2,500만 년
에서 2억 5,000만 년이 걸린다고 한다.

　　　　　　　　　　　　___ 구름은 서로 달은 동으로

사실 우리 은하의 위에서 태양계를 바라보면, 지구는 태양 주변을 돌고 있는 것이 아니라 태양, 달 등 태양계 식구들과 함께 시속 7만 킬로미터의 속도로 앞서거니 뒤서거니 나선형으로 어울리며 '우리 은하'를 신나게 공전 여행하고 있는 것이다.

동북아시아의 우리 조상들은 우주 자연의 현상과 만물의 성격을 관찰하여 크게는 음양(陰陽), 작게는 사상[소음少陰, 태양, 소양, 태음太陰], 좀 더 세분해서는 팔괘[八卦: 하늘, 호수, 불, 우레, 바람, 물, 산, 땅] 같은 추상적 개념으로 우주를 분류하고, '상호간의 관계'와 순환하는 '주기적인 변화'를 규명하려고 하였다.

『황제내경』과 『동의수세보원』에 따르면 사람도 네 종류, 즉 사상으로 분류하였다.

겉으로는 내성적이나 내면에 뜨거움을 간직한 사람은 봄[木] 같은 소음인[☳]이다. 겉으로는 조심하고 부드러우나, 속엔 명철함과 뜨거운 감성이 있다. 담아두면 타버린다. 가끔 술을 마시고 껍데기를 벗겨내면 뜨거움이 분출한다.

외향적이고 속마음을 감추지 못하는 사람은 여름[火] 같은 태양인[☰]이다. 총명하나 절제하지 못해 행동이 거만해 보이고, 생활은 방탕해질 수 있다. 태양을 담아둘 '천적(天敵)'을 만나야 장수(長壽)하고 크게 성공할 수 있다.

마음을 용기 있게 표현하나 속마음이 연약한 사람은 가을[金] 같은 소양인[☳]이다. 용맹하나 성격이 급하고 깊은 사려가 부족하며 비관적인 편이다. 기운을 잘 갈무리하여 내공을 키우고 인내심을 길러 겨울을 대비해야 한다.

겉도 속도 드러내지 않는 신중한 사람은 겨울[水] 같은 태음인[☷]이다. 예의 바르고 말을 조심하며 의지도 강하나, 음흉하다는 소리를 들을 수 있다. 자기주장에 너무 매달리지 말고 게으름을 조심해야 한다.

보리는 가을에 심어 겨울을 나고 초여름 망종 전후에 수확한다. 겨울을 견뎌내니 오행(五行)으로 보면 겨울에 해당하는 수(水), 차가운 기운을 담고 있다. 보리로 만든 맥주는 그 성질이 차가워 여름에 더울 때 시원하게 마시면 더위를 가시게 한다. 하지만 중식(中食)같이 기름을 많이 쓰고, 불을 강하게 사용하는 음식과는 어울리지 않는다. 중국 사람들이 더운 지방[火]에서 나는 차를 덖어서[火] 따뜻하게 우려 마시고 술은 불[火]로 증류한 백주[바이주]를 마시는 것은, 음양오행 순리를 따르는 음식 문화인 것이다.

시원한 맥주가 생각나는 6월의 연휴 저녁, 영겁의 세월 이 우주를 주유(周遊)하는 어머니 지구의 품에서 짧은 찰나 존재하는 우리들의 '행복한 오늘'을 위하여 시원하게 건배하고 싶다.

NAH@丙申芒種

태산명동(泰山鳴動)에 서일필(鼠一匹)

청강일곡포촌류(淸江一曲抱村流)

장하강촌사사유(長夏江村事事幽)

맑은 강 굽이쳐 마을을 껴안아 흐르고

긴 여름 낮, 강 마을엔 모든 것이 고요하네

— 두보(杜甫), 「강촌(江村)」

　한여름 늦은 오후, 강남(江南)을 가로지르는 양재천 산책길, 오가는 사람 없이 마냥 한가롭다. 키를 넘겨 자란 억새들이 무성한 도심 속 계곡(溪谷), 적막을 뚫고 가끔 새소리만 들려온다.

　며칠 전까지도 아침저녁은 서늘하고, 낮에는 가끔씩 시원한 바람이 세차게 불어오더니 여름[夏]의 정점[至], 하지가 다가오면서 다시 뜨거운 여름 날씨를 회복하고 있다.

　하지가 지나면, 겉으로 드러나는 계절은 뜨거운 양기(陽氣)가 점점 강해지지만, 속에서 일어나는 변화는 낮의 길이가 짧아지며 습한 음기(陰氣)

양재천 계곡의 한적한 오후

가 점차 강해진다.

수승화강(水昇火降), 언뜻 보기에는 불안정해 보이지만 아주 건강한 자연의 상태(狀態)다. 수(水)를 품은 음기가 강해지면서 아래로 흘러내리고 화(火)를 품은 양기, 열기(熱氣)는 위로 솟아올라, 대지(大地)를 촉촉이 적셔줄 장맛비를 만들기 시작한다.

야산(也山) 이달(李達) 선생의 제자 대산(大山) 선생에 따르면, 한국전쟁이 나기 3년 전 정해(丁亥)년(1947) 7월 백중(百中), 야산 선생의 명으로 제자들이 주역 점을 쳐보니 산화비괘(山火賁卦) 육사(六四)가 동하는 괘가 나왔다. 야산 선생은 "산(山)괘가 변하여 이(離)괘가 되었으니 떠나야 하는데, 이괘 구사(九四)효에 따라, 여름철에 화기(火氣)가 발동하니 전쟁이 나겠구나"라고 말하며 전쟁을 예상하였다. 그리고 "이이태연후안(履而泰然後安)이니, 태안반도를 밟아 안면도로 가서 겨울잠을 자듯 때를 기다리겠다. 올 가을부터 떠날 준비를 할 터이니 따라오고 싶은 사람은 따라오도록 하여라" 하시고는 제자들 300호를 데리고 안면도로 대피하였다고 한다.

경인(庚寅)년(1950) 정월 초하루, 안면도에서 야산 선생의 명으로 제자들이 주역 점을 쳐보니 중산간괘(重山艮卦) 구삼(九三)이 동하는 괘가 나왔다. 야산 선생이 말하기를 "간방(艮方)은 우리나라인데 중간에 막힌 것이 터지는 괘상이다. 간괘는 산, 호랑이인데 초육(初六)을 가린 내호괘(內互卦) 북방수(北方水)가 삼팔선을 넘어 사나운 범처럼 남으로 내려온다"며 경인년에 발발한 한국전쟁을 예견(豫見)하였다고 한다.

『우주변화의 원리』를 쓴 한동석 선생은 "한반도 중앙을 가로지르는 강, 한탄강 북쪽은 이북(以北)으로 북방수에 해당하고, 남쪽은 이남(以南)으로 남방화(南方火)에 해당한다. 소련은 백곰으로 물[水], 중국은 용(龍)으로 역시 물에 해당한다. 소련, 중국, 이북이 합치니 홍수(洪水)가 나서 남쪽으로 내려온 것이 한국전쟁이다. 이 홍수가 대전(大田)은 큰 밭[田]이라 그냥 통과하였고, 전주(全州) 광주(光州)도 섬[州]이라 다 잠겼는데, 대구(大邱)는 큰 언덕[邱]이어서 물이 내려가다 막혔고, 울산(蔚山) 마산(馬山)은 모두 산(山)이어서 물이 넘어가지 못했다. 부산(釜山)은 불 가마[釜]여서, 불로 물을 막을 수 있었다"고 하였다.

무술년 천지 기운의 흐름은 중산간괘[☶]에 해당하는데, 외호괘(外互卦)는 봄을 상징하는 진하련괘(震下連卦)요 내호괘는 겨울을 상징하는 감중련괘(坎中連卦)다. 따라서 중산간괘의 숨은 뜻을 나타내는 호괘는 뇌수해괘[雷水解卦, ䷧]로, 겨울에서 봄으로 바뀌고 물[水] 밖으로 우뢰[雷]가 나오는 상(象)으로 모든 것이 풀린다[解]는 해동(解凍)의 의미가 숨어 있다.

뇌수해의 호괘는 수화기제괘[水火旣濟卦, ䷾]로, 수승화강(水昇火降)한 상으로 '수'는 아래로 내려오고 '화'는 위로 올라가니 서로 어울려 문제가 해결된다는 의미가 숨어 있기도 하지만, 뇌수해는 만일 상육(上六)이 양(陽)으로 바뀌면 화수미제괘[火水未濟卦, ䷿]가 되어 오히려 문제가 해결되지 않고 영원히 꼬이게 될 수도 있는 상이다.

해이서남(解利西南)
해(解)는 서남방(西南方)이 이롭다

—『주역』

한반도 서남쪽 싱가포르에서 미북정상회담이 태산명동하게 열렸다. 하지만 뚜껑을 열고 보니 서일필, 협상의 귀재(鬼才)라더니 '달랑 쥐새끼 한 마리'뿐이다. 아직은 수화기제(水火旣濟), 화해를 향해 달려가는 것인지 혹은 화수미제, 배신과 대결로 달려가는 것인지 알 수 없다. 하지만 미래

__ 구름은 서로 닿은 동으로

가 어떤 방향으로 달려가든 '힘없는 우리 대한민국에 남겨질 숙제는 무엇인지?' 찬찬히 따져보고 준비해야 할 것 같다.

트럼프, 시진핑, 아베, 푸틴 같은 조폭 지도자들이 포진한 강대국들에 둘러싸여 있는 작금(昨今)의 시세(時勢)와 처지(處地)는 120년 전 무술년(1898)보다 절대 편안해 보이지 않는다. 중국 러시아 같은 대륙 세력과 일본 미국 같은 해양 세력이 격돌하는 한반도에서, 남과 북은 늘 대륙 세력과 해양 세력 사이에서 벌어진 제로섬 게임의 피해자였다. 북한이 국제 무대에 등장하여 한반도에 평화를 향한 변화가 시작되는 것이 반갑기는 하지만, 상대적으로 대륙 세력과 해양 세력에게 비춰지는 남한의 존재감과 매력도는 크게 감소할 수밖에 없다.

어불가탈어연(魚不可脫於淵)
국지이기불가이차인(國之利器不可以借人)
물고기는 물을 떠나서는 살 수 없다
나라의 핵심 역량을 밖에 의존해서는 절대 안 된다

개인이든 기업이든 국가든 생존을 위해 필요한 기본 핵심 역량은 필요조건도 충분조건도 아닌 반드시 내재화해야 할 위생 조건[Hygiene Condition]에 해당한다. 물, 식량, 에너지, 국방력 같은 위생 조건을 남에게 의존하다 배신당하면, 순식간에 가장 기본적인 생존이 위협받는다.

사드 배치나 주한 미군, FTA 같은 한반도의 평화와 미래의 번영에 영향을 주는 이슈들이, 우리의 의지는 무시되고 주변 강대국들의 이해득실(利害得失)에 의해 제멋대로 번복되고 있는 지금, 과연 우리는 위생 조건을 갖추고 있다고 감히 말할 수 있을까? 뚜렷한 대안도 없이 무장해제를 당하고 이렇다 할 근거도 없이 주변국들의 자비(慈悲)를 낙관적으로 기대하며, '모든 것이 다 잘 될 거야'라는 어설픈 희망(希望) 고문(拷問)에만 매달리고 있는 것은 아닐까?

하지가 다가오면서 제주 남쪽 바다까지 장마 전선이 올라왔다는 소식이다. 매실(梅實)이 익어갈 즈음 시작되는 여름 장마 매우(梅雨)가 먹구름과 함께 다가오고 있다. 그날처럼 다시 북방수가 남방화를 향해 달려 내려오고 있다.

道谷＠戊戌夏至

살구가 익어가는 시절

　청명(清明) 무렵 연분홍 꽃을 예쁘게 피웠던 살구나무에 살구색 살구들이 어느새 흐드러지게 익어 땅바닥에 가득 나동그라져 있다.

　오늘은 뜨거운 여름[夏] 기운이 정점[至]에 오른다는 하지다.

　안타깝게도 충청을 비롯한 중부 지방이 초여름 가뭄으로 타들어가고 벌써 강원도 산골 지역까지 폭염주의보가 발령되고 있다.

　음력 4월[巳月]에서 5월[午月] 소만(小滿) 지나 하지까지는 『주역』의 중천건괘[重天乾卦, ䷀]로, 동지부터 차오른 양기(陽氣)가 천지에 가득 차 있다가 하지가 지나면 다시 음기(陰氣)가 바닥부터 차올라 하늘[天] 아래 바람[風]이 있는 『주역』의 천풍구괘[天風姤卦, ䷫]로 바뀌어 유우강야(柔遇剛也), 부드러운[柔] 음이 강한[剛] 양을 만나[姤] 밀어낸다.

　택천쾌괘[澤天夬卦, ䷪]에서 상육(上六)의 항룡(亢龍)을 결단하여 척결하였고, 중천건괘에서 지공무사(至公無私)한 이상향을 꿈꾸었지만, 천풍구괘로 결단난 음이 다시 바닥에서부터 세력을 형성한다. 변함없이 천하(天下)와 우주(宇宙)는 늘 그렇게 차고 기울며 돌아가고 돌아온다.

하지에 이르면 뜨거운 양기가 절정에 다다라 양기로 가득 찬 세상이 오래도록 지속될 것이라 착각하지만 반동(反動)은 시작된다. 깊은 바닥부터 음기가 서서히 차올라 땅속은 서늘하게 바뀌어 한여름 우물물은 오히려 시원해진다.

반대로 동지(冬至)에 이르면 차가운 음기로 가득 차지만 궁즉변(窮則變), 깊은 바닥에서는 따뜻한 양기가 차오르기 시작한다. 동지섣달 밖은 춥지만 땅을 파보면 땅속은 이미 훈훈해지고 있음을 알 수 있다.

'양'이 꽉 차면 '음'이 바닥에서 시작되고, '음'이 꽉 차면 '양'이 바닥에서 시작되는 음양의 순환은 우리의 삶에도 그대로 적용된다.

『황제내경(黃帝內經)』「소문(素問)」에 이르기를, "여자는 7세에 신기(腎氣)가 성해져서 치아를 갈고 머리카락이 자라며, 14세에는 천계(天癸)가 이르러 임맥(任脈)이 통하고 태충맥(太衝脈)이 성해져 월경이 시작되어 자식을 가질 수 있다. 21세에 다 자라며, 28세에는 근골이 튼튼해지고 머리카락이 다 자란다. 35세가 지나면 얼굴에 윤기가 없어지고 머리카락이 빠지기 시작한다. 42세에는 머리카락이 희어지기 시작한다. 49세가 지나면 임맥이 허해지고 태충맥이 쇠하여 천계가 마르니 월경이 끊어지기 시작한다.

남자는 8세에 신기가 실해져 치아를 갈고 머리카락이 자란다. 16세에는 천계가 이르러 정기가 넘치고 음양이 조화되어 자식을 가질 수 있게 되며, 24세까지 근골(筋骨)이 강해진다. 32세까지 기육(肌肉)이 장성해지

디지털시티 살구나무

나, 40세가 지나면 신기가 쇠하기 시작하여 머리카락이 빠지고 치아가 마르며, 48세가 지나면 양기가 빠져서 머리카락이 희끗희끗해진다. 56세에는 간기(肝氣)가 쇠하여 근(筋)이 약해지고 천계가 다하여 정이 줄어들며, 64세가 지나면 치아와 머리카락이 빠지고 신수가 마르고 정(精)이 마르기 시작하여 자식을 갖기 어렵게 된다."

남자는 16세가 지나며 '양'으로 시작하지만 나이가 들수록 남성 호르몬이 감소하며 점차 소극적이고 내부 지향적인 '음'의 기운이 강해진다. 여자는 14세가 지나며 '음'으로 시작하지만 나이가 들수록 여성 호르몬이 감소하며 점차 적극적이고 외부 지향적인 '양'의 기운이 강해진다.

젊어서나 늙어서나 삶은 늘 변화가 많다. 성장하면서 겪는 '양'의 변화는 내 안에서의 변화들로; 몸과 마음이 자라 성숙해지고 짝을 만나 아이를 낳고 배우고 발전하는 생산적인 변화들이 많다. 하지만 늙어가면서 만나는 '음'의 변화는 내 밖의 변화들로; 무엇인가를 할 수 없게 되고 누군가가 아프고 결국 영영 떠나버려 만날 수 없는 파괴적인 변화들이 많다.

수욕정이풍부지(樹欲靜而風不止), 인생이란 나무는 고요하고자 하나 세월의 바람은 그치지 않는다.

아무리 오늘이 남은 생애의 첫날이고 남은 생애의 가장 젊은 날이자 가장 아름다운 날이라고 우겨도 보고 위로해보아도, 진정 우리들의 아름다운 날들은 속절없이 흘러갔고 흘러가고 있다.

하지 저녁, 내 마음 저 뿌리에서 북서풍(北西風)이 시작된다. 저 바람이 불어 나무가 흔들리는 것인지, 나무가 흔들려 저 바람이 생기는 것인지는 나는 다만 알지 못한다.

NAH@丁酉夏至

수(數)에 숨은 비밀들

태양이 사정없이 뜨거운 맑은 날들과 비가 장마처럼 내리는 궂은 날들이 오락가락하고 있다. '하지가 지나면 구름장마다 비가 내린다'는 속담처럼 남방에서 올라온 열기(熱氣)와 북방에서 내려오는 냉기(冷氣)가 본격적으로 '밀당'하고 어울리는 여름 장마가 서서히 시작되고 있다.

일 년 중 낮의 길이가 가장 길다는 오늘은 여름[夏]의 정점[至], 하지다.

하지가 지나면 원일점(遠日點)을 지나 태양과 지구의 사이는 가까워지지만, 북반구에서는 태양의 각도가 낮아지며 낮의 길이가 짧아지며 양기(陽氣)가 약해지고 음기(陰氣)가 일어난다. 하여 옛사람들은 양수(陽數)가 겹치는 중양절(重陽節, 음력 5월 5일, 7월 7일, 9월 9일) 중에서도 하지보다 조금 이른 음력 5월 5일 단오(端午), 수릿날을 양기[午]가 가장 왕성한[端] 날로 여겨 '태양의 축제'를 열었다.

궁중에서는 신하들이 시(詩)를 지어 단오첩(端午帖)을 올리면 대궐 기둥들에 단오첩을 붙이고, 임금은 신하들에게 합죽선(合竹扇)을 하사하였다.

민간에서는 지역마다 단오제를 올리고, 창포물에 머리를 감아 액을 쫓아내기도 하고, 제철 맞은 앵두를 따서 화채를 만들어 먹기도 하였다.

옛사람들은 수(數)에 알 수 없는 운수(運數)와 기회에 대한 가능성이 숨어 있다고 생각하여 우리말과 문화 속에 많은 '수'를 심어놓았다. 사람이 살 수도 있고 병이 나을 수도 있는 운명적 운수가 있는가 하면, 무엇을 할 수도 있고 고칠 수도 있는 가능성에 대한 능동적 도전의 수도 있다.

『주역』에서는 1, 2, 3, 4, 5의 다섯 개의 수를 만물을 낳는 수라 하여 생수(生數)라 하고 6, 7, 8, 9, 10은 만물을 키우고 완성하는 수라 하여 성수(成數)라 부른다.

생수 중 홀수인 1, 3, 5는 양수, 하늘의 수[天數]로 합치면 양효(陽爻)를 가리키는 9가 되고 짝수인 2, 4는 음수(陰數), 땅의 수[地數]로 합치면 음효(陰爻)를 가리키는 6이 된다. 생수 1, 2, 3, 4가 북남동서(北南東西)에 5가 중앙에 자리하고 생수 5와 합쳐져 만들어진 성수 6, 7, 8, 9가 북남동서에 그리고 10이 중앙에 추가되면 목화토금수 음양오행의 출발점이라고 하는 하도(河圖)가 만들어진다.

진서(眞書)의 1(一)은 분화하기 이전 하나로 수렴된 근원으로 겨울, 수(水)를 상징하고, 2(二)는 일이 성장하고 팽창하여 분화한 모습으로 여름, 화(火)를 상징한다. 3(三)은 음양이 화합하여 자식을 만들어 여럿으로 분화하는 모습으로 봄, 목(木)을 상징하며 8(八)은 일(一)이 갈라져 이(二)가 되기 시작하며 땅을 뚫고 나오는 모습으로 역시 봄, '목'을 상징한다. 4(四)는

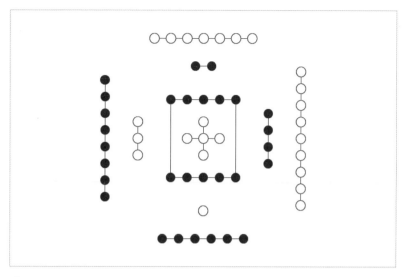

하도

팔(八)을 상자[口] 속에 가둔 모습으로 봄 '목'의 반대로 수렴하는 가을, 금
(金)을 상징한다. 6(六)은 팔에 뚜껑[亠]을 씌워놓은 모습으로 봄이 오기 전
의 겨울, '수'를 상징한다. 10(十)은 누워 있는 음효와 서 있는 양효가 결합
한 모습으로 남녀, 음양이 완벽히 조화된 상태로 중앙에서 목화금수(木火
金水)를 조율하는 토(土)를 상징한다. 5(五)는 십(十)이 이(二) 안에 갇혀 있는
모습으로 중(中)을 얻었으나 발현되지 못한 '토'를 상징한다. 7(七)은 십(十)
에서 서 있는 양효가 힘을 잃고 먼저 구부러진 모습으로, 하지가 지나 양
기가 꺾이는 상징으로 역시 여름, '화'에 배속된다. 9(九)는 십(十)에서 누워
있는 음효가 힘을 잃고 구부러진 모습으로, 가을이 되어 분화의 힘[二]이
약해지고 겨울이 가까워 수렴의 힘이 더 커지고 있는 상징으로 역시 가
을, '금'에 배속된다.

이와 같은 연유로 우리는 봄을 상징하는 삼(三)과 팔(八)의 조합, '삼팔 광땡'을 십(十)과 십(十)의 조합 '장땡'보다도 더 생명의 기운이 강한 것으로 대우하고 있고, 또한 가을을 상징하는 구(九)와 사(四)의 조합 '구사'가 나오면 의(義)로운 '금'의 기운으로 모든 것을 정리하고 다시 시작한다.

팔(八)은 봄을 의미하는 동방(東方) 중에서도 동북방(東北方)에 배속되는데 한반도는 간방(艮方), 동북방에 속해 있다. 86(八六) 아시안 게임은 '육'에서 뚜껑을 걷어내 '팔'을 드러내기 위한 전주곡(前奏曲)이었고 88(八八) 올림픽을 기점으로 한반도가 팔팔(八八) 끓기 시작한 것은 '우연의 일치'치고는 신비할 따름이다.

겉으로 드러나는 모습이 형(形)이라면, 기화(氣化)하여 보이지 않게 된 모습은 상(象)이다. 학문은 보이는 '형'을 정리하는 것이기도 하지만, 보이지 않는 '상'을 보이게 만드는 것이기도 하다.

음양(陰陽), 사상(四象), 팔괘(八卦), 오행(五行), 오운(五運), 육기(六氣), 수(數)로 표현되는 동양 철학이 아닌 '동양 수학'은 순환하는 자연의 질서를 관찰하여 보이지 않는 천문(天文), 풍수(風水), 인간(人間), 즉 천지인(天地人)의 상과 변화를 표현하고 이해하고 규명하려 한 동양 제현들의 아름다운 시도와 족적의 산물이다.

지즉위진애(知則爲眞愛)

애즉위진간(愛則爲眞看)

알면 진심으로 사랑하게 되고

___ 구름은 서로 닮은 동으로

사랑하면 제대로 볼 수 있게 된다

— 유한준, 『자저(自著)』

그래서 "자세히 보아야 예쁘고, 오래 보아야 사랑스럽다." 우리네 삶, 삼라만상(森羅萬象) 그리고 옛사람들의 유산(遺産) 또한 그러하다.

NAH@丙申夏至

풍경(風景), 바람과 빛

도곡(道谷) 창밖에 시원스레 빗줄기가 쏟아지며 여름 더위를 씻어내고 있다. 저 멀리 강남(江南)의 빌딩 숲은 회색빛 실루엣이 되어 한 폭의 동양화처럼 고요하다.

축축함을 싫어하는 나는 집 안에 스스로 갇혀 노랑 우산, 빨강 우산, 투명한 우산을 쓰고 종종걸음을 치며 인도를 지나고 건널목을 건너는 사람들을 가만히 내려다보고 있다.

장맛비가 멈추고 놋주발보다 더 쨍쨍한 햇빛이 내리쬐는 오늘은, 더위[暑]가 시작된다[小]는 소서다.

그쳤다 다시 쏟아지는 장맛비가 창(窓)과 벽(壁)에 부딪치며 푸다다닥, 타닥타닥, 삭삭삭삭, 보슬보슬 편안하고 낯익은 소리들을 만들어내고 있다.

성출어화(聲出於和)

화출어적(和出於適)

소리는 조화로움에서 나오며

조화로움은 적당함에서 나온다

— 『여씨춘추』

도레미파솔라시도로 반복되는 서양 음계(音階)는 도[C]를 중심으로 주
파수들이 (1:1, 8:9, 4:5, 3:4, 2:3, 3:5, 8:15, 1:2)의 정수비를 가져 맥놀이가
없는 조화로운 화음(和音)을 만든다. 주파수 비율이 4:7인 소리는 비록 정
수비를 가졌지만 다른 주파수와 어울리지 못해 음계에서 빠졌다. 반음(半
音)을 포함한 서양 12음계들이 도를 중심으로 한 장조(長調)와 라[A]를 중
심으로 한 단조(短調), 즉 선법(旋法)에 따라 서로 다른 조합으로 어울려 완
전히 다른 감성의 음(音)과 악(樂)을 만들어낸다.

황종(黃鐘), 대려(大呂)로 시작하여 무역(無射), 응종(應鐘)으로 반복되는
동양 음계, 12율려(律呂) 역시 삼분손익법(三分損益法)에 따라 (3:2, 2:3)의 정
수비를 갖는 주파수들을 모아 만든다. 서양 선법에 장조와 단조가 있다
면, 우리 국악에도 장조와 유사한 밝고 화평한 감정을 표현하는 평조(平
調)가 있고 단조와 유사한 얼굴에 눈물자국[界面]이 나게 하는 슬픈 감정
을 표현하는 계면조(界面調)가 있다. 평조와 계면조에 따라 황종, 태주(太
簇), 중려(仲呂), 임종(林鐘), 남려(南呂), 무역 같은 서로 적당히 조화로운 주
파수들, 율려들끼리 어울려 때로는 신명나고 때로는 애달픈 가락을 만들
어낸다.

장맛비가 만드는 강남 지평선

나는 관음을 좋아한다. 지난날에는 음담패설(淫談悖說)을 듣고 보는 관음(觀淫)도 좋아했으나 이제는 관음(觀音), 단순히 소리를 듣는 청음(聽音)이 아니라 소리를 듣고 보는 관음을 더 좋아한다.

한갓진 봄날, 양지바른 길섶 벤치에 기대어 잠시 소쩍새 우는 소리를 듣는 것도 좋고 뜨거운 여름날, 산책길 나무 그늘에 앉아 들꽃들이 바람에 흔들리는 소리를 듣는 것도 좋아한다. 나른한 가을날, 바람에 물결이 일렁이는 소리, 물결이 돌부리에 부딪히는 소리를 보는 것도 좋고 동지섣달, 창밖에 눈발이 날리는 소리, 눈 위에 눈이 내려앉는 소리를 보는 것도 좋아한다.

물소리 바람 소리를 들으며 뇌파를 멈추고 우주의 소리를 바라보는 관음도 좋지만 가끔은 옛 노래를 들으며 율려를 관음하는 것도 즐겁다.

남도(南道) 서편제(西便制)의 판소리는, 소리가 진중하고 절도가 있는 동편제(東便制) 소리와 달리, 소리를 늘여 빼고 꺾기 같은 기교가 많아 장단이 느린 슬프고 애절한 계면조 가락이다. 일제 강점기와 한국전쟁 시절 서민의 한(恨)을 달래준 트로트의 애조(哀調)와 뿌리가 닿아 있다.

이미자의 「흑산도 아가씨」, 장윤정이 부르는 「섬마을 선생님」, 한영애가 부르는 「목포의 눈물」은 서로 다른 계면조 가락을 가지고 있다. 이미자의 노래가 트로트의 전범(典範)이라면 장윤정의 노래는 소리의 꼬리를 들고 장단이 빠른 밝은 계면조다. 한영애의 노래는 꾹꾹 소리를 누르고 느린 장단으로 주파수가 낮아지고 소리가 탁(濁)해져 더욱 애상(哀傷)적인 계면조가 된다.

같은 노래가 다른 소리통과 다른 창법(唱法)을 만나 다른 주파수로 변하여 다른 색깔로 들려온다. 창가 소파에 기대어 트로트 가락을 관음하며 나는 제법 발칙한 상상(想像)을 하고 있다.

락지불락자심야(樂之弗樂者心也)

심필화평연후락(心必和平然後樂)

즐거움과 즐겁지 않음은 마음에 달려 있다

마음이 먼저 화평한 이후에 즐거움이 찾아온다

—『여씨춘추』

음과 양이 어울리며 비가 되고 구름이 되고 때로는 햇살이 된다. 풍경
(風景), 바람과 빛이 어우러지고 있다. 나는 산처럼 머물고 풍경은 물처럼
흘러간다.

도곡 창밖의 풍경을 관음하며 흘러오는 자연의 율려에 마음을 맡겨본
다. 나는 평화로운 도곡의 풍경이 되고 아무것도 하지 않는 자유, 그 즐거
움에 빠져든다.

산은 산이요, 물은 물이로다.

道谷@戊戌小暑

구름은 서로 달은 동으로

창 열고 푸른 산과 마주 앉아서

'하지가 지나면 구름장마다 비가 내린다'라던 옛사람들의 속담은 틀림이 없다. 드디어 애타는 가뭄을 끊고 시원한 빗줄기가 수시로 쏟아지는 여름 장마가 한창이다. 오늘은 여름 더위의 시작, 작은(小) 더위(暑)가 시작된다는 소서다.

만약 지구의 자전축이 23.44도 기울어져 있지 않았다면 북극은 지금보다 훨씬 추웠을 것이고, 적도 지방은 지금보다 훨씬 더웠을 것이며 우리가 사는 한반도는 일 년 내내 적당한 온도를 유지하고 있었을 것이라고 한다.

하지만 23.44도 기울어진 지축으로 인해 지구가 태양을 공전할 때마다 북반구의 여름에는 더 많은 태양 에너지가 공급되고 겨울에는 태양 에너지 공급이 현저히 줄어드는 춘하추동(春夏秋冬) 사계절 변화가 생기게 되었고 적도 지방, 북반구와 북극 지방의 열에너지 분포가 계절 따라 불균형이 생기면서 남동풍과 북서풍의 계절풍이 불고, 여름에는 장마와 태풍이 올라오는 기후 변화가 생겨났다.

겨울의 응축된 수(水)와 여름의 분화된 화(火) 사이의 정상적인 변화는 '수', 목(木), '화', 금(金) 다시 '수'로 일정하게 음양(陰陽)이 반복되어야 하지만 기울어진 지축으로 인해 과도하게 봄과 여름에 걸쳐 누적된 '화'의 분화하는 기운이 가을 '금', 수렴하는 기운으로 바뀌는 데는 장마와 태풍이라는 공간적 열에너지의 순환과 함께 삼복(三伏)이라는 누적된 열에너지를 소진하는 시간적 기다림이 함께 필요하다.

음양오행에서는 이러한 변화를 화생토(火生土) 토생금(土生金), 토(土)를 매개로 한 금화교역(金火交易)을 통해 여름 화기(火氣)가 늦여름 장하(長夏)의 토기(土氣)를 거쳐 가을 금기(金氣)로 넘어가는 것으로 표현하고 있다.

올해는 음력 5월 윤달이 있어서 대서가 되어야 음력 6월이 겨우 시작되지만 일반적으로 소서가 지나 대서(大暑) 즈음이면 음력 6월, 미월(未月)이 시작된다. 미(未)는 나무[木] 위에 두 개의 열매가 열렸지만 아직[未] 성숙하지 않은 모습으로 미월은 양(陽)의 정점, 하지(夏至)를 지나 음(陰)의 활동이 본격화되는 시기에 해당한다. 분화의 상징 '화'가 늦봄과 초여름에 퍼져 나가는 '나뭇가지와 잎사귀들'에 해당한다면 수렴의 상징 '금'은 가을이 되어 나무에 맺히는 '열매'에 해당하는데 미토(未土)는 '화'와 '금'을 매개하는 중앙의 '토'로 '꽃'에 해당한다고 할 수 있다.

화극금(火克金), 금화(金火)가 상쟁(相爭)하면 지속 가능한 변화를 이뤄내지 못한다. 나뭇가지와 잎사귀들[火]이 너무 번성하면 다음 세대를 위한 열매[金]가 부실해질 수 있어 농부들은 적당한 시기에 가지치기를 하여,

장대비는 쏟아지고

튼실한 열매가 맺히도록 유도해준다.

　따뜻한 아파트 베란다에서 편안하게 겨울을 나는 난(蘭)이나 선인장들은 꽃을 기다리는 사람들의 기대를 저버린 채, 철없이 이파리만 무성(茂盛)해진다. 사람이나 식물이나 잘나갈 때 정신 못 차리고 자만에 빠지는 모습은 별반 다르지 않다.

　안무망위(安無忘危), 편안하고 잘나갈 때 닥쳐올 위기를 잊지 않아야 한다. 편안하게 거안망위(居安忘危)하는 녀석들의 꽃을 피우는 방법은 간단하다. 겨울 추위에 혹독하게 내던져놓아 좋은 시절 다 갔음을 확실히 알려주는 것이다. 다음 해를 기약할 수 없다고 판단한 녀석들은 봄이 되면 서둘러 꽃을 피우고 씨앗을 만든다.

동변일출서변우(東邊日出西邊雨)

도시무정환유정(道是無情還有情)

동쪽에 해 나는데 서쪽에는 비 내리네

연모(戀慕)하는 마음이 대체 있는 건지 없는 건지

— 유우석(劉禹錫), 「죽지사(竹枝詞)」

하지 이후 소서와 대서를 지나며 음양이 어지럽게 충돌하는 시절에는 폭서(暴暑)와 폭우(暴雨), 맑은 날과 천둥 번개가 정인(情人)의 마음처럼 오락가락한다.

축축한 장마와 여름 더위로 축 늘어지기 쉬운 계절. 오이, 호박, 가지 등 신선하고 기운이 충만한 제철 채소들과 '토'의 기운, 단맛이 절정에 이른 참외와 수박으로 더위를 씻어내고 원기를 회복해보자.

더위가 주춤한 저녁 어스름, 창 열고 푸른 산을 바라다보며 마음을 맑게 해주는 청아한 피리 소리를 가만히 관음(觀音)해보는 것은 어떠하랴.

처필엄신욕정무조(處必掩身欲靜無躁), 몸의 욕망은 절제하고, 마음은 고요하여 번잡하지 않게 다스리면서.

NAH@丁酉小暑

_ 구름은 서로 달은 동으로

삼복더위의 시작

작은(小) 더위(暑)가 시작된다는 오늘은 소서다. 소서가 지나면 장마가 종반으로 접어들고, 삼복(三伏)더위가 시작된다. 초복(初伏)은 하지로부터 셋째 경일(庚日)을 가리키는데 소서와 대서(大暑) 사이에 들고, 넷째 경일을 중복(中伏), 입추(立秋) 후 첫째 경일을 말복(末伏)이라 한다.

하지가 지나면 해가 짧아지며 화기(火氣)가 약해지고 금기(金氣)가 강해지는데 가을 기운, 금기가 양금(陽金)에 해당하는 경일에 가장 강하게 일어나 여름 기운, 화기에 도전을 해보지만 기세등등한 화기에 눌려 일어서지 못하고[火克金] '세[三] 번이나 개처럼 엎드려[伏] 있다' 하여 삼복이라 부른다.

'삼복 기간에는 입술에 묻은 밥알도 무겁다'고 할 정도로 더위에 지치면 요즘처럼 선풍기, 에어컨, 냉장고도 없던 시절, 옛사람들은 가까운 산 계곡을 찾아가 시원한 계곡물에 발을 담그고[濯足濯足] 지금도 우리가 즐기는 삼계탕, 민어탕 혹은 개장국 등을 먹으며 청서(淸暑) 익기(益氣), 더위

탁족

를 쫓아내고 기운을 보양하였다.

　여름 기운[火氣]에 눌린 가을 기운[金氣]을 북돋아주기 위해 오행상 가을, 서방(西方)에 배속되는 닭[酉], 개[戌]를 요리해 먹었다고 전하나 사실은 여름에 부담 없이 구하기 쉬웠던 개와 닭을 요리해 먹었다는 주장이 더 설득력이 있다. '봄 도다리, 여름 민어'로 불리던 민어(民魚) 역시 지금은 귀족 대우를 받고 있으나 과거에는 남·서해에서 삼복을 전후해 지천으로 잡히던 서민[民] 물고기[魚]로 누구나 쉽게 구할 수 있었던 계절 음식이었을 뿐이다.

　『동국세시기(東國歲時記)』「유월조(六月條)」에는 "서울 풍속에는 남산과 북악 계곡물에 발 담그기를 하는 놀이[濯足之遊]가 있다"는 대목이 있다. 오늘날 많은 사람이 산과 계곡을 찾아 계곡물에 발 담그고 피서(避暑)를 하는 풍속은 예나 지금이나 변함이 없었던 모양이다.

절파(浙派) 화법의 대가였던 조선 시대 이경윤의 「고사탁족도(高士濯足圖)」는 당시 선비들의 피서 풍습을 보여주기도 하지만 멱라수(汨羅水)에 몸을 던진 초나라 굴원(屈原)의 고고한 기개를 추앙하는 그림이기도 하다.

창랑지수청혜(滄浪之水淸兮) 가이탁오영(可以濯吾纓)

창랑지수탁혜(滄浪之水濁兮) 가이탁오족(可以濯吾足)

창랑의 물이 맑으면 갓끈을 씻고

도의(道義)와 정의가 지배하는 세상이면, 나아가 세상을 위해 일하고

창랑의 물이 흐리면 발을 씻는다

도의와 정의가 무너진 세상이면, 강호(江湖)로 돌아와 은둔한다

— 굴원(屈原), 「어부사(漁父辭)」

도박 사건에 연루된 정××라는 남대문 시장 출신 졸부[New Money]가 홍××, 최×× 같은 고위직 판검사 출신들을 돈으로 휘둘러 법(法)을 농단하더니 급기야 백화점 입점 비리까지 연루되어 유명 그룹마저 흔들어 놓고 있다.

미국에서는 노골적으로 인종 차별을 부추기는 트럼프가 대통령 후보가 되는가 하면 영국에서는 명문 옥스퍼드대 동문인 보리스 존슨, 마이클 고브, 데이비드 캐머런 삼인(三人)이 '브렉시트'를 놓고 벌인 대국민 막장 사기극이 전 세계인의 가십거리가 되고 있다.

내외를 막론하고 창랑(滄浪)의 물이 탁해지며 점점 어린 백성들만 혼란스럽게 만들고 있다.

기후 변화 탓인지 요즈음은 9월까지도 늦더위가 기승을 부려 호사가(好事家)들은 8·15 '광복'과 9·28 서울 '수복'까지 합쳐 오복(五伏)을 찾아 피서를 한다. 올해는 중복과 말복 사이가 20일이나 되는 월복(越伏)이 들어 있어 '광복'이 지난 이후까지 한 달간 삼복더위가 지속되는 뜨거운 한 해가 될 듯하다.

다가오는 초복(제헌절, 일요일)에는 장맛비가 내리면 가까운 동네 맛집에서, 모처럼 하늘이 맑으면 옛 선비들처럼 가까운 계곡을 벗들과 함께 찾아가, 삼계탕도 좋고 민어탕도 좋고 개장국도 좋으니 금모화(金侮火), 더위를 날려버리는 청량(淸凉)한 금(金) 기운을 오장육부에 가득 채우면서 창랑의 물이 흐리면「귀거래사(歸去來辭)」를 읊으며 강호에 돌아와 초연하게 유유자적하던 옛 선비의 호연지기(浩然之氣)를 탐해보고 싶다.

NAH@丙申小暑

도곡(道谷), 길[道]이 계곡[谷]이 되다

　사람[者] 머리 위에 태양[日]이 내리쬐는 더위[暑=日+者]가 몹시 심하다[大]는 오늘은 삼복더위가 절정으로 치닫는 대서다.

　무술년 천지 기운은 "화기(火氣)가 태과(太過)하고 기후 변화가 절기보다 앞서 간다"더니 올해는 봄도 일찍 오고 장마도 일찌감치 북상(北上)하더니 연일 30도를 웃도는 살인적인 폭염도 일찍 시작되었다. 부디 서늘한 기운도 일찍 솟아올라 이 폭염을 빨리 밀어내 주기를 소망해본다.

　　오월하지(五月夏至)

　　음기생이반대열(陰氣生而反大熱)

　　기자하생즉추이상지(氣自下生則推而上之)

　　음생즉양상이유열(陰生則陽上而愈熱)

　　음력 5월 하지가 지나면

　　음기(陰氣)가 생기는데 오히려 더 더워진다

　　아래에서 생겨난 기(氣)가 위의 기를 밀어 올려

음(陰)이 양(陽)을 위로 밀어내며 더 더워지는 것이다

—『동의보감』

대서를 기점으로 땅의 기운은 화기(火氣)에서 토기(土氣)로 바뀌고 토기는 추분(秋分)까지 약 60일을 주관하는데, 이 시기는 습도와 열기[濕熱]가 주로 작용하는 절기다.

여름 한철은 사람의 정(精)과 신(神)이 빠져나가는 시기로 심화(心火)는 성하고 신수(腎水)는 쇠한다고 하니, 심기(心氣)를 고르게 하여 무더위에 짜증부리지 말 것이며 몸도 무리(無理)하지 않게 특히 주색(酒色)에 빠지지 않게 조심하여 정기(精氣)를 잘 보존해야 할 것이다.

덥다고 너무 서늘한 곳을 찾거나 너무 차가운 물로 몸을 씻는 것은 서풍(暑風)을 일으키고, 찬 음식이나 얼음물을 많이 먹으면 비위(脾胃)를 상(傷)한다고 하니 모두 경계(警戒)할 일이다.

통지어심왈체(統之於心曰體)

천이행지왈이(踐而行之曰履)

마음을 통제하는 것을 체(體)라 하는데

체를 따라가며 이행(履行)하게 된다

—『예기정의(禮記正義)』

일반적으로 형태와 모양; 체(體)를 본떠 이름[名]이 만들어지고 이름을 따라 쓰임새; 운명(運命)적인 용(用)이 따라온다. 언어(言語)가 만들어가는

＿ 구름은 서로 닮은 동으로

내밀한 작동(作動)은 시간이 지나야 비밀스럽게 드러난다.

네 개의 섬이었다가 지금은 하나의 섬이 된 영종용유도(永宗龍遊島), 길 영(永) 마루 종(宗), 긴 마루는 이름 따라 비행기가 뜨고 내리는 활주로가 되었고 용 룡(龍) 놀 유(遊), 용이 놀러 나가는 바다 위에는 수많은 여객기 가 선회(旋回)한다.

양(陽)은 [阝+昜]로 햇볕이 내리쬐는[昜] 언덕[阝]을 의미하는데 강북(江 北)에 있는 햇빛이 잘 드는 언덕을 가리킨다. 가양동(加陽洞)의 한강 북쪽 에는 '강북 언덕이 더해진다'는 가양의 체(體), 이름을 따라 큰 언덕, 난지 도(蘭芝島)가 생겨났다. 철 따라 온갖 꽃이 만발해 '꽃섬'으로 불리던 낭만 의 섬; 난지도는 한때 쓰레기 산; 먼지 악취 파리가 많다고 하여 '삼다도 (三多島)'로 불렸지만 이제 다시 생명의 땅으로 부활하고 있다. 난지도가 더 해진 상암동(上岩洞)에는 '가양, 새롭게 빛을 만들고 더한다'는 용(用)을 따 라 한국영상자료원, 디지털미디어시티, MBC 본사, CJ E&M 본사, YTN, TBS, KBS, SBS 등이 들어섰으니 이 또한 절묘한 우연이다.

강남의 양재천 북쪽에 가양(加陽); 큰 언덕 같은 아파트 단지 '타워팰리 스'가 들어선 곳이 도곡동(道谷洞)이다. 매봉산 아래 산부리에 돌이 많이 박혀 있어 독부리라 하던 것이 독구리, 독골로 불리다가 도곡이라는 범 상치 않은 이름으로 바뀌었다. 도곡은 영어로 번역하면 도(道)는 Tao, 곡 (谷)은 Valley로 'Tao Valley'가 되는데 발음이 유사한 'Tower Palace' 7개 동(棟)이 도곡동에 들어서고 난 후, 이름 그대로 고층 건물 사이의 길 [道]이 계곡[谷]이 되어버렸다.

대치동(大峙洞)은 큰 언덕이란 이름처럼 양, 언덕이 솟아 있으니 그 용

난지한강공원

(用)은 형이상(上)학적으로 공부하는 학원들과 어울린다. 반면 도곡동은 계곡이란 이름처럼 음, 비어 있고 낮은 계곡길이 있으니 그 용은 형이하(下)학적인 재물들이 흘러 들어오고 채워지는 데 쓰인다. 대치동의 양과 도곡동의 음이 서로 보완하며 어울려 화합(和合)하니 강남의 좋은 이웃이 된다.

내가 그의 이름을 불러주었을 때

그는 나에게로 와서

꽃이 되었다

— 김춘수, 「꽃」

구름은 서로 닮은 동으로

저녁나절, 서쪽 하늘에 초승달과 함께 밝게 떠오른 금성(金星), 개밥바라기를 바라보노라니 문득 이 삼복더위에도 참 열심히 살아가는 우리, 그 존재(存在)의 용, 쓰임새가 궁금해진다. "너는 나에게 나는 너에게, 어떤 잊혀지지 않는 하나의 눈짓"이 되고 있는 것인지.

道谷@戊戌大暑

청계산 양재천 이야기

모처럼 벗들과 올라간 녹음이 짙푸른 청계산(淸溪山) 산등성이에 솜사탕 같은 장마 구름 조각들이 다정하게 걸려 있다.

장마 구름이 끼어 있다가, 다시 햇볕이 한없이 뜨거웠다가 갑자기 억수로 비가 쏟아지던 장마도 이젠 막바지에 접어들고 있다.

오늘은 불볕더위[暑]가 한창이다[大]는 대서, 대서답게 삼남(三南) 지방에는 연일 폭염(暴炎)이 계속되고 있다.

중복을 지나 말복으로 다가가면서 뜨거운 낮과 밤들이 계속되고 있지만 하지(夏至)가 지난 지 벌써 한 달, 낮의 길이도 서서히 짧아지고 있고 입추(立秋)가 가까워오면서 내리쬐는 태양의 열기도 조금씩 약해지고 있다.

이 시기의 괘상(卦象)은 음(陰)이 좀 더 강해진 천산둔괘[天山遯卦, ䷠]로, 하지 천풍구(天風姤)에서 바람[風]처럼 시작된 음이 산처럼 자리 잡는 시기다. 지혜로운 사람은 천산둔괘를 보고 물러나[遯] 은둔(隱遁)하고 원소인(遠小人) 불악이엄(不惡而嚴), 어리석은 자들을 멀리하되 감정을 섞어 악

(惡)하게 하지 않고 도리를 지켜 엄(嚴)하게 한다.

　관악지맥(冠岳支脈)은 한남정맥의 주봉(主峯)인 광교산 북쪽, 의왕 백운산에서 북쪽으로 갈라져 청계산 국사봉, 과천 매봉, 갈현을 거쳐 관악산에 이르고 국립묘지가 있는 서달산, 장승백이, 영등포를 거쳐 한강과 안양천이 만나는 당산에서 지룡(地龍)이 멈춘다.

　관악산과 더불어 관악지맥의 대표 산인 청계산은 지금은 강남 사람들의 쉼터로 사랑받고 있지만, 예전에는 많은 선비가 은둔하며 거처하던 산이었다. 주봉인 망경대(望京臺)는 원래 '주변의 많은 경치'를 볼 수 있어 만경대(萬景臺)라 하였는데 고려의 충신 조견(趙狷)이 은거할 때, 송도(松都)를 바라보며 망국(亡國)의 한(恨)을 달랬다 하여 후세 사람들이 '고려의 서울, 송도를 바라보았다'는 망경대로 이름을 바꾸었다 한다.

　이수봉(二壽峰)은 연산군 시대의 유학자인 정여창 선생이 스승인 김종직과 벗 김굉필이 연루된 무오사화의 변고를 예견하고 이수봉에 은거하여 두[二] 번의 삶[壽]을 살 수 있었다 하여 '이수봉'이라 불렀다 전한다.[9] 옥녀봉(玉女峯) 북쪽 자락에는 추사 김정희가 긴 유배 생활에서 돌아와 대팽고회(大烹高會)와 더불어 말년을 보낸, 부친이 마련한 별서(別墅, 별장) 과지초당(瓜地草堂)이 있었던 곳이다.

　강남을 풍요롭게 하는 양재천(良才川)은 관악산 산줄기와 청계산 산줄기 사이를 흐른다. 남쪽 청계산에서 동으로 갈라져 나온 산줄기는 인릉산과 구룡산을 거쳐 대모산에 이르고, 북쪽 관악산에서 동으로 갈라져

청계산

나온 산줄기는 우면산과 매봉산을 거쳐 대치(大峙)에 이르는데 양재천은
관악산 남쪽과 청계산 북쪽 동쪽의 계곡물이 만나 흐르다 탄천(炭川)으
로 합류한다. 『동국여지승람』에는 공수천(公需川)이라 하였고, 「대동여지
도」에는 상류는 공수천(公須川), 하류는 학탄(鶴灘, 학여울)이라 하였는데 구
룡산에 살던 용 열 마리가 승천하다가 한 마리가 떨어져 양재천이 되었
다는 전설이 전해진다.

　상류 과천에는 정부종합청사가 있어 공(公)기관에 정부 관리, 영감[須]
들이 드나들고 있고 중류 우면산 기슭 양재천 부근에는 S그룹, L그룹,
KT 등의 연구소에 석·박사들이 근무하며 하류 대치동에는 유명 학원들
이 즐비하여 전국에서 공부 좀 한다는 학생들이 몰려드니, 양재천은 '어질
고 재주 있는 사람을 키워내고[需] 등용(登龍)한다'는 이름값을 하고 있다.

　　　　　___ 구름은 서로 닮은 동으로

대팽두부과강채(大烹豆腐瓜薑菜)

고회부처아녀손(高會夫妻兒女孫)

최고의 음식은 두부, 오이, 생강, 나물이요

최고의 만남은 부부, 자녀, 손자들이다

— 칠십일과(七十一果) 김정희

나이 칠십이 넘어, 부친이 물려준 청계산 별서 청관산옥(青冠山屋)에서 참외·수박·오이를 심은 작은 텃밭[瓜地], 연못과 정원이 딸린 초당에서 졸박청고(拙樸清高), 서툴고 순박하지만 맑고 고고하게 유유자적(悠悠自適)하던 추사(秋史)의 삼복더위 여름밤이 문득 궁금해진다.

맑은 별들이 온 하늘에 가득하던 밤, 차가운 우물물로 몸서리 처지게 등목하고 모기향 피운 작은 마당, 할머니 엄마 동생들과 정답게 평상(平床)에 둘러앉아 시원하고 달콤한 수박, 벌레 먹은 수밀도(水蜜桃)를 나누어 먹던 그 여름밤은 다 어디로 갔을까?

NAH@丁酉大暑

---

9 결국 정여창은 무오사화에 연루되어 곤장을 맞고 김굉필과 함께 종성으로 귀양 가서 살다 갑자년에 세상을 떠났다.

나무 그늘에서 매미 소리를 듣다

여름이 뜨거워서 매미가

우는 것이 아니라 매미가 울어서

여름이 뜨거운 것이다

— 안도현, 「사랑」

장마가 끝나가면서 본격적인 불볕더위가 시작되고 있다. '불볕[大]더위
[暑]에 염소 뿔도 녹는다'는 오늘은 대서다.

뜨겁게 내리쬐는 땡볕을 피해 들어선 느티나무 그늘에는 한여름을 알
리는 매미들의 울음소리가 가득하다.

매미가 우는 것은 "여름이 뜨거워서 우는 것"이 아니라 수컷이 짝짓기
를 위해 암컷을 불러대는 간절한 구애(求愛)의 몸짓이다. 더 크게 우는 수
컷을 암컷들이 더 좋아하니 순진한 수컷들은 가슴이 터져라 더 크게 울
어댈 수밖에 없다.

매미의 대표 격인 참매미는 '맴맴 매앰 맴' 울다가 마지막에 길게 '미임' 하면서 끝을 낸다. 구름이 지나가고 햇빛이 나면 갑자기 단체로 '찌르르' 하면서 우는 놈들은 말매미, 아침저녁으로 '께께 께께' 단조롭게 울어대는 놈은 저녁매미란다. 쓰름매미는 '쓰르름 쓰르름' 반복해서 울어대는데, 우리가 보통 쓰르라미라고 부르는 매미다. 매미 중에서는 애매미가 가장 복잡한 울음소리를 내는데 '추르르'로 전주곡을 울리고 나서, '쓰츠 쓰츠' 하면서 본격적인 울음을 이어가다가 '쓰히 쓰히 쓰피오' 하면서 절정을 토(吐)해내고는, 마지막으로 '쓰으으' 하면서 마무리한다.

굼벵이라 부르는 매미의 어린 유충은 짧게는 3년, 길게는 17년 동안 땅속에서 때를 기다리다가 어느 여름날 문득 땅을 뚫고 올라와 목숨을 걸고 마지막 허물을 벗어던지고 우화등선(羽化登蟬), 꿈에 그리던 매미가 되지만 겨우 보름 남짓 살면서 짝짓기를 하고는 미련 없이 떠나는 것이 매미의 처연(悽然)한 일생이다.

우리 인간은 '인간이 만물의 영장이고, 지구의 주인은 인간'이라고 믿고 살지만 생물학자들은 지구 자연 생태계의 주인은 개미와 매미 같은 곤충이라고 주장한다. 인간에 비하면 하찮고 힘없는 미물에 불과해 보이지만 곤충들은 생존을 위한 그때들을 정확히 알고 있고, 추호의 망설임 없이 실행한다.

인간이 겨우 1만 년 전에 농업을 시작한 데 비해, 개미들은 이미 6,000만 년 전에 직접 기르고 채취하는 농업을 시작했고 진딧물 등을 목축하고 전쟁을 일으켜 다른 개미들을 노예로 잡아다 일을 시키기도 한다. 개미는 철

우화등선

저한 자기희생을 바탕으로 한 분업과 협동을 통해 인간만큼 진화한 고등 생물이다.

매미는 생존을 위해 철저하게 계산된 시간표대로 기다리고, 우화하고, 죽어간다. 굼벵이는 5년, 13년, 17년과 같이 포식자와 다른 생존 주기를 선택하여 땅속에서 기다린다. 특히 주기매미는 17년에 한 번 수억 마리의 매미가 동시에 우화하여 포식자들을 따돌린다.

해야 할 때와 하지 말아야 할 때를 아는 것이 지혜[智]라면, 참을 수 없는 것을 참아내는 것이야말로 용기[勇]다. 지혜롭지도 못하고 용기도 없는 시정잡배(市井雜輩) 같은 무리들로 세상이 여전히 시끄럽다. 오랜 세월을 기다렸지만, 떠나야 할 때 훌훌 털고 가는 매미와 사익(私益)과 공익(公益), 그중 '뭣이 더 중한지' 아는 개미들의 지혜와 용기가 부러울 뿐이다.

___ 구름은 서로 닮은 둥으로

다산 정약용은 더위를 잊는 여덟 가지 방법인 소서팔사(消暑八事) 중 하나로 동림청선(東林聽蟬), 그늘진 숲속에서 매미 소리 듣기를 추천하였다.

이번 주말에는 더위를 피해 참외나 수박 같은 맛있는 제철 과일들을 흐르는 계곡물에 담갔다가 시원하게 먹고 나서 원두막 그늘에 누워 합죽선을 부치며 매미의 뜨거운 울음을 가만히 관음(觀音)해보면 어떨까?

"울지 않으면 보이지 않기 때문에" 정말 오랜 세월 기다린, 뜨거운 울음 토해내는 굼벵이의 오래된 꿈과 매미의 참을 수 없는 순정(純情)을 기억(記憶)하면서.

NAH@丙申大暑

가을

秋

멈추면 보이는 것들

장마가 끝난 후 7말8초(七末八初)의 바캉스 시즌이 빠르게 지나고 나면 어김없이 가을의 시작, 입추가 다가온다.

입추 지나 첫 번째 경일(庚日) 말복(末伏)이 아직 남아 있어 한낮은 여전히 뜨겁고 밤에는 열대야가 우리를 잠 못 들게 하고 있지만, 살짝 시원해진 아침 바람과 높이 나는 고추잠자리들이 계절의 변화를 가늠하게 한다.

벌써 8월, 오늘은 가을[秋]이 일어서[立] 다가온다는 입추다.

입추 무렵은 옛 속담에 '입추 나락 크는 소리에 개 짖는다'고 할 정도로 따가운 햇볕에 들판의 벼 이삭이 황금빛으로 익어가는 시기다. 입추가 지나면 바람은 서늘해지고 이슬이 맺히며 쓰르라미[寒蟬]가 울고, 농부들은 무와 배추를 심어 가을 김장 채비를 한다.

천지시숙(天地始肅), 천지가 냉정해[肅]지기 시작한다. 이제는 휴가의 추억에서 돌아와 다시 정제(整齊)해야 하는 시절이다.

아드리아해

    7월 말, 모처럼 망중한(忙中閑)을 내어 날아간 아드리아해의 따가운 햇살 넘치는 공기 맑은 해안가 휴양지들은 당분간 모든 것을 잊고 쉬어가기에 딱 좋은 곳이었다.

    발칸반도의 아드리아해 연안과 섬 지역은 거친 석회암 산들이 해안선을 따라 뻗어 있어, 내륙과는 지리적으로 고립된 채 로마와 베네치아의 무역 해상 기지로 사용되던 옛 항구들만이 듬성듬성 자리하고 있었다. '마르코 폴로'가 나고 자랐다는 코르출라섬의 해변가 카페에서 햇빛 찬란한 바다를 바라보며 마시던 Dingac 와인도 좋았고 「꽃보다 누나」들이 거닐던 두브로브니크의 좁은 골목길들과 시원한 바람, 스르지 언덕 전망대에서 바라보던 성벽과 빨간 기와지붕도 인상적이었다.

    슬로베니아, 크로아티아의 내륙 지방에는 석회암이 오랜 세월 침식하

    __ 구름은 서로 닿은 동으로

며 생겨난 크고 작은 호수들과 폭포들, 지하(地下) 강과 카르스트 동굴들이 산재해 있었다. 영화 「아바타」에 나왔던, 원시 자연 그대로의 플리트비체 국립공원의 요정들이 살 것만 같은 맑은 하늘빛 초록빛 호수들과 평화롭게 노닐던 물고기들, 달마티아 해안에서 멀지 않은 빌 게이츠가 추천하는 휴가지 크르카 국립공원에서 작은 폭포들의 물소리 바람 소리 새소리를 차분히 관음(觀音)하던 평화로웠던 시간들, 카르스트 동굴의 원조 포스토이나 동굴에서 마주친 크고 작은 석순과 석주들의 향연(饗宴), 지하 강과 작은 새끼 용; 프로테우스 등등.

이번 휴가 여행에서 만난 자연(自然)과 역사(歷史) 그리고 인연(因緣)들에 대한 기억들은 사업부 매각 협상 때문에 아드리아해 휴가 계획을 포기해야만 했던 병신(丙申)년의 아팠던 기억들과 뜨거웠던 열대야들을 다 보상해주기에 충분하였다.

삼복증인한여우(三伏烝人汗如雨)

산중피서기무심(山中避暑豈無心)

홍진골몰난추잠(紅塵汨沒難抽簪)

삼복 찌는 더위에 땀은 비처럼 흐르는데

산속으로의 피서를 어찌 마음에 두지 않았으랴

세상일에 찌들려 다만 떠나지 못할 뿐이네

— 이색, 「유오대시(遊五臺詩)」

고려 시대, 목은 이색 선생도 종사(宗社)의 잡무에 시달리느라 삼복더위에도 피서를 떠나지 못하기는 마찬가지였던 모양이다.

카르페 디엠, 현재를 즐기는 사람들로 인천공항에는 들뜬 표정의 휴가 여행객들이 넘쳐나고 도착하는 휴양지와 관광지마다 호텔 방은 모자라고 기다리는 사람들의 줄은 한없이 길고 거리는 앞으로 나아가기가 힘들 정도였다.

크르카 국립공원 작은 폭포와 숲 사이 오솔길을 산책하며 물소리 바람 소리 새소리 매미 소리의 어울림을 명상(冥想)하듯 바라보고 듣고 있노라니 문득 내면(內面)에서 들려오는 메아리가 있었다. '지나간 시간들, 나는 대체 무엇을 쫓아왔고 그래서 무엇을 얼마나 얻었을까?' '앞으로 내 삶에는 대체 얼마나 많은 시간이 남아 있는 것일까?'

가끔은, 멈추면 보이는 것들도 바라보자. 되돌아보면 보이는, 두고 온 것들도 돌아보자.

이제 가을이 다가오고 있다.

NAH@丁酉秋分

시원한 저녁이 아름답다

아직 말복(末伏)이 9일이나 남아 있어 여전히 한낮에는 기록적인 폭염이, 한밤중에는 열대야가 심신(心身)을 지치게 하고 있지만 천지(天地)의 변화는 어김이 없다.

밤에는 서늘한 바람이 불어오고 가을[秋]의 문턱에 들어선다[立]는 오늘은 입추다.

가을 추(秋) 자를 파자(破字)해보면, 벼[禾]를 베서 뜨거운 햇살[火]에 말린다는 뜻으로 오곡백과(五穀百果), 쓸모 있는 것들을 거두는[收] 수확의 시기이자 쓰임이 다한 벌레, 잡초, 낙엽들이 세월 따라 사라져가는 의로운[義] 시기다.

봄[春]이 모든 풀과 나무가 맘껏 피어나게 하는 백화제방(百花齊放), 인자로운[仁] 시기라면 여름[夏]은 태양과 비바람[風雨]을 통해 만물이 자연스럽게 자라나서 모두 있어야 할 자리에 있어야 할 만큼 자리하는 예의[禮]가 있는 시기다. 나무는 겨울을 나기 위해 과감하게 버릴 것은 버려 뿌리에 기운을 모으고 씨앗은 땅속에 깊이 묻혀 겨울 추위를 견디며 봄을 기다린다. 겨울[冬]은 가질 것과 버릴 것, 숨을 때와 나갈 때를 구별할 줄 아는 슬기로움[智]이 있는 시기다.

 양(陽)은 태양이 내리쬐는[昜] 언덕[阝]을 상징하는 글자로 산의 남쪽 혹은 강의 북쪽을 의미한다. 따라서 한양(漢陽)은 한강의 북쪽, 현재의 강북 지역을 의미하는 양기(陽氣)가 충만한 땅이다. 음양(陰陽)의 이치에 따라 한음(漢陰)이라 부를 수도 있는 현재의 강남 지역은 예전에는 서리풀이 무성하고 압구정엔 배나무, 잠실엔 뽕나무가 자라던 한적한 시골이었다.
 '양'이 형이상학적인 정신문명을 대표한다면, '음'은 형이하학적인 물질문명을 대표한다. 한양, 즉 강북(江北)은 대학과 문화가 자리할 곳이라면 강남(江南)은 돈과 물질의 풍요가 자리할 곳으로 오늘날 서울의 모습과 일치한다.
 한양은 풍수적으로 오덕(五德)이 상생(相生)하는 오덕구(五德丘)로, 고려 공민왕 때 이미 천도(遷都)까지 했던 곳이었다. 한양은 중앙의 '백악(북악산)'의 토기(土氣), 동쪽 '남행산[아차산]'의 목기(木氣), 남쪽 '관악산'의 화기(火氣), 서쪽 수주(樹州, 부평) '북악[계양산]'의 금기(金氣) 그리고 북쪽 '감악산'의 수기(水氣); 즉 오기(五氣)가 제 방위(方位)에서 한양에 배알하는 오기조원격(五氣朝元格)의 대길지(大吉地)라고 한다.[1]

 조선 건국 후 무학대사는 인왕산을 주산(主山)으로 하려 했으나, 남향(南向)을 고집했던 정도전의 주장이 관철되어 백악을 주산으로 하고 낙산

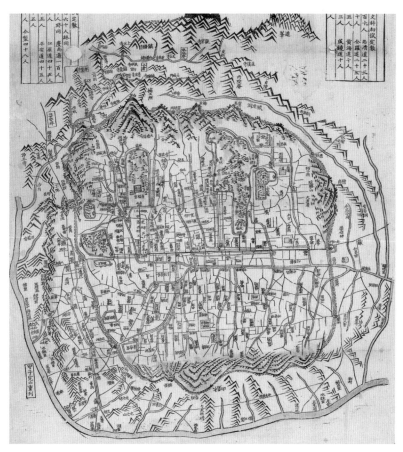

한양 지도

과 인왕을 좌청룡 우백호로 정하고 남산을 안산(案山)으로 정하게 된다.

한양 도성(都城)을 쌓고 사대문을 음양오행을 따라 인의예지(仁禮義智)를 넣어 작명하였으니 동쪽에는 '인'을 일으킨다는 흥인지문(興仁之門), 남쪽에는 '예'를 높인다는 숭례문(崇禮門), 서쪽에는 '의'를 돈독히 한다는 돈의문(敦義門), 북쪽의 숙정문(肅靖門)이 그 사대문이다.

북대문(北大門)은 원래 숙지문(肅智門)이라 하려 했는데, 문 이름에 지(智)가 들어가면 백성이 지혜로워져 다스리는 일이 어려워질까 두려워하여 '지' 대신 '청(淸)'을 넣었다고 한다. 나중에 숙청(肅淸)을 고요하고 안정된 의미의 숙정(肅靖)으로 바꾸어 숙정문이 되었다. 이 숙정문은 열어두면 "북쪽의 음기가 들어와 한양의 양기가 약해지고, 장안(長安)의 여자가 음란(淫亂)해진다"는 풍수가 최양선의 상소에 따라 평소에는 문을 폐쇄하고 통행을 금지하였다 전한다.

동대문(東大門)인 흥인지문은 동(東) 청룡(靑龍) 낙산(駱山)의 산세, 즉 장남(長男)의 기운이 약한 것을 보완하기 위해 흥인지문에만 지(之)를 넣어 산(山)의 기운을 강화하였으며 동대문만 이중 옹벽을 쌓아 강화하였고, "청계천의 물이 부족하여 땅 기운이 샌다"고 하여 비보풍수로 네 개의 인공 연못을 만들었으나 현재 인공 연못은 남아 있지 않다.

남대문(南大門)인 숭례문은 관악산의 강한 화기를 막기 위해 관악산 서쪽 봉우리 호암산에 비보사찰 호압사와 사자암을 지어 관악산의 기세를 견제하고, 관악산 정상 연주봉 부근에 아홉 개의 방화부(防火符)를 묻어 화기를 다스렸다고 한다. 또한 숭례문 현판을 세로로 한 것은 숭(崇)의 화(火,示=火), 예(禮)의 '화'를 위아래로 하여 염(炎) 자를 만들어, 관악산의 화기를 더욱 강한 불인 '염'으로 막으려는 의도였다.

예로부터 '높은 산'은 구름과 비를 만들어 주변을 윤택하게 하고, '큰 강(江)'은 더럽고 탁한 것을 쓸어내며 바다로 길을 통하게 하니 그 큰 덕(德)을 받들어 삼공(三公)과 제후(諸侯)로 대접하였으니 강산(江山)의 고마

___ 구름은 서로 닿은 동으로

움을 대하는 옛사람들의 지혜가 새롭다.

아무튼 한양 풍수의 기운으로 조선은 500년을 누렸으나, 비보풍수를 더했음에도 불구하고 낙산이 낮고 인왕(仁王)이 높은 까닭이었을까? 조선 27명의 왕 중 8명만이 장남이었고, 유독 동생들[西北]과 외척[西]이 득세한 것은.

아직도 온 산하(山河)가 뜨거운 저녁나절, 시원한 맥주 한 잔 앞에 두고

유연견남산(悠然見南山)

산기일석가(山氣日夕佳)

한가롭고 여유롭게 서울 산들을 바라보며

아름다운 저녁나절, 가을 산 기운을 느껴본다

— 도연명, 「음주(飮酒)」

달이 차면 기울고 꽃이 피면 결국 지듯이, 가을 금(金) 기운에 결국 이 더위도 주저앉고 시원한 추풍(秋風)이 불어올 그날을 유연(悠然)히 기다리며.

NAH@丙申立秋

◇◇◇◇◇◇◇◇◇◇

1 산도 역시 음양오행에 따라 분류한다. 흙이 많은 산은 음산(陰山) 혹은 육산(肉山)이라 하고, 바위가 많은 산은 양산(陽山) 혹은 악산(岳山)이라 한다. 인수봉처럼 나무처럼 우뚝 솟은 산은 목산(木山), 관악산처럼 뾰족한 봉우리들이 불꽃처럼 보이는 산은 화산(火山), 구미 천생산처럼 위가 평평한 산은 토산(土山), 노적봉처럼 봉우리가 둥그런 산은 금산(金山), 남산처럼 비슷한 봉우리가 연결되어 물결처럼 보이는 산은 수산(水山)으로 분류한다.

|

여름이 떠나가는 시절에

삼복(三伏)이 지나면서 쓰르라미 울음소리는 더욱 요란해지고 아직도 따가운 늦더위는 쉽게 물러가지 않고 있다. 며칠 내내 하늘에 낮은 구름이 깔리고 장마처럼 비가 쏟아지더니 아침저녁으로 선선한 바람이 불며, 어느새 가을 기운이 뚜렷해지고 있다.

드디어 더위[暑]가 멈춘다[處]는 오늘은 처서다.

입추(立秋) 지나 처서가 다가오며 음력 7월, 신(申)월이 시작되고 있다. 신월은 하지(夏至) 이후 힘을 길러온 음(陰)의 기운이 기지개를 펴는[申] 시기로 양(陽)의 기운인 더위가 주춤해지지만, '음'에 밀려 밖으로 흩어지는 양의 기운이 소양(少陽) 상화(相火)로 남아 가을 곡식과 열매들을 성숙하게 키우는 시기다.

인신(寅申) 소양상화의 기운은 자오(子午)의 군화(群火)를 앞뒤에서 보좌하는 기운이다. 동지(冬至) 이후 음력 1월[寅月] 우수(雨水)까지 범처럼 힘을 키워 일어선 '양'의 기운; 소양² 상화의 기운은 겨우내 누적되었던 차

가을 하늘

가운 수(水)의 기운을 밀어내고 하지 이후 처서, 백로(白露)까지 힘을 키운 '음'의 기운에게 밀려날 때까지 군화를 보좌[相]하여 함께 만물을 키우고 꽃 피우고 열매 맺게 한다.

삼복더위와 열대야에 몸은 지쳐가고, 처서 지나 찬바람 부는 계절이 시작되면 나 같은 소음(少陰)인 체질에 가까운 사람들은 연례행사처럼 몸살을 앓고 넘어간다.

소음인은 신대비소(腎大脾小)하여 몸이 차고[腎大] 소화기가 약하여[脾小] 땀을 많이 흘리는 것을 피하고, 찬 음식보다 따뜻한 음식으로 비위(脾胃)를 편안히 해야 한다. 하지만 여름이면 여행이나 등산 같은 야외 활동으로 땀을 많이 흘려 체력을 소모하게 되고 덥다고 찬물에 자주 몸을 담그고 팥빙수 같은 차가운 음식들에 홀려 기력을 소모하고 만다. 차가운 봄바람의 풍기(風氣)에 노출되어 약해진 간(肝) 기운은 한 번의 폭음(暴飲)으로도 주저앉고 뜨거운 여름 서기(暑氣)에 지친 몸을 보신하겠다며 폭식(暴食)을 하면 비(脾) 기운도 지쳐버린다. 결국 차가운 기운은 설사를 일으키고 약해진 양기(陽氣)를 뚫고 몸살이 찾아오게 된다.

예로부터 섭생(攝生)을 잘 하는 사람은 계절의 기운과 어긋남이 없도록 봄여름에는 적당한 활동으로 발산(發散)하는 데 힘을 써서 양기를 북돋고 가을 겨울에는 차가운 냉기(冷氣)를 피하고 몸을 따뜻하게 온존(溫存)하는 데 주의를 기울였다. 또한 일상에서 계절 따라 하지 말아야 할 것들[禁忌]을 어기지 않았다.

일일지기(一日之忌) 모무포식(暮無飽食)

일월지기(一月之忌) 회무대취(晦無大醉)

일세지기(一歲之忌) 동무원행(冬無遠行)

종신지기(終身之忌) 야불연촉행방(夜不燃燭行房)

하루의 금기는 저물녘에 포식하지 않는 것이요

한 달의 금기는 그믐에 크게 취하지 않는 것이요

한 해의 금기는 겨울에 멀리 여행하지 않는 것이요

평생의 금기는 밤에 촛불을 켜고 방사(房事)를 하지 않는 것이다

—『동의보감』

이 가을을 풍성하게 하는 '상화'의 기운도 이른 봄부터 오랫동안 누적

　　　구름은 서로 달은 동으로

된 것이고 이 가을의 몸살 역시 봄여름의 금기를 어긴 방종한 섭생이 오랫동안 누적되어 생긴 것이다.

Learn from Yesterday,

Live for Today,

and Hope for Tomorrow.

과거로부터 배우고

현재를 위해 살며

미래를 꿈꾸어라

— 아인슈타인

삶의 갈림길에서 하늘이 주는 기회는 절대 그냥 다가오지도 그냥 지나쳐가지도 않는다.

하늘은 항상 우리에게 쉽게 보이지 않는 내밀한 징조를 드러내 보이고 오랜 시간 동안 쉽게 들리지 않는 미세한 경고음을 꾸준히 들려주고 있었지만, 눈앞의 욕망에 눈과 귀를 빼앗긴 우리들은 '기회가 왔는지? 지나쳤는지?'조차 알지 못한다. 세월이 지나 가을이 되어서야 겨우 갈림길을 돌아보며 봄여름에 걸려 넘어진 걸림돌들이 놓쳐버린 디딤돌들이었음을 알게 된다.

안타깝게도 보이지 않는 것을 보지 못하고 들리지 않는 것을 듣지 못하니 결국 '후회할 일을 만들지 않는 삶'이란 애초부터 불가능한 것이었다. 이 가을, 지나간 봄여름을 서글프게 돌아보는 우리에게 남겨져 있는 유일한 희망(希望)은 지난 시절의 인과(因果)를 감내하면서 절대 후회하지 않는 삶을 살아가는 것이 아닐는지.

NAH@丁酉處暑

---

2 태양의 기운은 동지 이후 두 달 간격으로 소양, 양명(陽明), 태양(太陽) 순으로 양(陽)의 기운이 성장하고, 하지 이후 다시 궐음(厥陰), 소음, 태음(太陰) 순으로 음(陰)의 기운이 성장하며 순환한다. 반면 땅의 기운; 육기(六氣)는 궐음풍목(風木), 소음군화, 소양상화, 태음습토(濕土), 양명조금(燥金), 태양한수(寒水) 순으로 계절을 주관한다. 태양의 변화와 땅의 상태는 소음, 태양, 소양, 태음 순으로 순환한다.

___ 구름은 서로 달은 동으로

꽃이 지는 건 잠깐이더군

뭉게구름 떠가는 하늘에 고추잠자리 멈추었다. 온 산하(山下)에 들 불 [火]이 번진 것처럼 오늘도 뜨겁다. 아직도 정말 뜨겁다. 산하화(山下火), 병신년(丙申年)의 지긋지긋한 뜨거움은 대체 언제 끝나려는지.

아무튼 더위[暑]가 그치고[處] 모기도 입이 비뚤어진다는 오늘은 처서다.

동기감응(同氣感應), 모처럼 가슴도 졸여보고 가슴이 찡해져 눈물도 펑펑 흘리게 만들었던 지구 반대편 브라질 올림픽의 감동적인 순간들도 이젠 모두 지나가버렸다.

달력을 뒤적거리며 추석(秋夕) 연휴까지 아직도 3주나 남아 있다는 것을 또 확인한다. 하루하루의 일상이 고만고만 재미도 없어, 하릴없이 불금(金) 황토(土) 주말만 기다린다.

일 년에 한 번 돌아오는 여름휴가를 써버린 상실감(喪失感)은 가히 우울증 수준이다. 매년 처서 때면 한 번씩은 앓고 지나가는 휴가 후유증인 것은 알고 있지만 내 맘대로 안 되는 게 종잡을 수 없는 이런 정서적(情緒

고추잠자리

的) 상실감이다.

　이렇게 어정 7월(七月), 건들 8월(八月) 하면서 정신줄 놓고 살다 보면 병신년도 어느새 또 쏜살같이 지나가버리고 말 것이다.

　가을은 천지시숙(天地始肅), 엄숙함이 시작되는 소양(少陽)의 계절이다. 소양은 겉은 양(陽)으로 다 발산되었으나 속은 음(陰)으로 텅 비어가는 모습이다. 형이하학(形而下學)적으로는 겉껍데기는 쇠락해가고 알맹이는 단단히 익어가는 모습이다. 여름까지 한껏 분화(分化)했던 천지만물이 수축(收縮)을 하며 근원(根源)으로 돌아가듯 한껏 부풀고 흩어졌던 이 텅 빈 마음을 엄숙하게 다잡아야 하는 시절이 된 것이다.

　그래서 옛사람들은 처서 무렵이면 '농부는 곡식을 말리고, 부녀자는

　　　　　　　　＿＿ 구름은 서로 닮은 동으로

옷을 말리고, 선비는 책을 말리며' 가을[秋]을 준비한다고 했다. 문득 얼마 전 남한산성을 다녀와서 인터넷으로 주문했던 김훈의 산문집(散文集)을 집어 든다. 산문을 읽다 보면 산만한 마음이 정리가 될까? 산만하게 떠오른 재미있지도 않은 '아재 개그'에 혼자 실없는 웃음을 날린다.

산문이 너무 길다고 느껴져서 이번엔 『서른, 잔치는 끝났다』라는 시집(詩集)을 꺼내본다.

꽃이
피는 건 힘들어도
지는 건 잠깐이더군

— 최영미, 「선운사에서」

오랫동안 모이고 쌓여서 숙성이 되어 툭 터져 나온 시어(詩語)들이 맑고 아름답다.

부시(夫詩) 사연후적(思然後積) 적연후만(積然後滿) 만연후발(滿然後發), 무릇 시란 생각한 것이 쌓이고 쌓인 것이 꽉 차고 꽉 찬 연후 터져 나오는 것이라 했다. 텅 비어 허전했던 마음이 맑고 아름다운 것들 덕분에 조금은 채워지고 누그러진다. 이렇게 나의 가을은 다시 시작되고 있다.

술이 덜 깬 아침에,
골은 깨어지고 속은 뒤집히는데
다시 거리로 나아가기 위해

김 나는 밥을 마주하고 있으면

밥의 슬픔은 절정을 이룬다.

이것을 넘겨야 다시 이것을 벌 수가 있는데,

속이 쓰려서 이것을 넘길 수가 없다.

— 김훈, 『라면을 끓이며』

이른 새벽, 열대야(熱帶夜)에 지친 몸을 깨워 일으켜 세우기가 정말 끔찍하게 싫어도, 꺾어진 목 비틀어 세우고 감겨 있는 눈꺼풀 억지로 떼어가며 젖은 솜 같은 몸을 달래야 한다. 이게 '정신노동'이든 '육체노동'이든 결국 뇌(腦)와 팔다리; 장기(臟器) 대여(貸與)하며 평생을 장렬하게 살아온 우리들의 아버지 그리고 너와 나; 우리들, 이 땅 모든 아재들의 윤회(輪廻) 같은 숙명(宿命)이니까!

할 수 있을 때 하지 않으면 하고 싶을 때 하지 못한다.

'백수가 된 친구는 이걸 하고 싶어도 하지 못한다.' 이렇게 나에게 달래듯 읊조리며.

NAH@丙申處暑

구름은 서로 닮은 동으로

천지비(天地否), 꽉 막힌 시절에

이른 아침 출근길, 여명(黎明)을 겨우 벗어난 하늘은 아직도 어스름하다. 아침 해가 조금씩 짧아지고 있고, 아침 바람은 가을답게 제법 서늘해지고 있다.

한낮이면 푸르른 가을 하늘은 텅 비어 한없이 깊고 넓게 느껴진다. 오늘은 상화(相火)가 천지에 뜸을 들여 흰[白] 이슬[露]이 맺힌다는 백로다.

가을 신월(申月)에는 소양(少陽) 상화, 화(火)의 기운을 받아 양(量)적으로는 이삭과 과실이 실하게 여물어가고 질(質)적으로는 화생토(火生土), 토(土)의 기운, 즉 단맛이 늘어난다. 마치 밑불은 꺼졌지만 솥에 남은 열기가 한 해의 결실에 뜸을 들이는 그런 시절이다.

하지만 처서(處暑) 지나 백로까지도 과도하게 가을비가 내리고 있어 이삭과 과실이 성숙할 기회를 놓치고, 이를 바라보는 농민들의 마음은 그저 안타깝기만 하다. 뒤늦게 때 아닌 객기(客氣) 수(水)의 기운이 과도하게 넘치면서 계절을 혼동한 이삭들은 웃자라고 과실 역시 '수' 기운이 과도해 열매를 단단히 맺지 못하고 수극화(水克火)의 영향으로 그나마 맺힌 이삭과 과실마저 단맛이 약하고 싱겁게 되어버렸다.

본디 양(陽)과 음(陰)의 개념은 햇빛이 비치는 언덕과 햇빛이 비치지 않는 음지에서 출발한다. '양'은 햇빛이 비치니 낮이요 태양이요 하늘이며 아버지다. 햇빛이 비치는 남향이며 바깥이다. 따라서 밝고 따뜻하여 불 화(火)같이 그 기운은 위로 오르며 맑다. '음'은 햇빛이 없으니 밤이요 달이요 땅이며 어머니다. 햇빛이 미치지 않는 북향이며 안쪽이다. 따라서 어둡고 차가우며 물 수(水)같이 그 기운은 아래로 가라앉으며 탁하다.

'음'과 '양'은 물과 불처럼 이 세상에 보이는 형태(形態)를 표현하기도 하지만 수증기와 뜨거운 공기처럼 이 세상의 보이지 않는 상태(象態)를 표현하기도 하고, 또한 목(木)과 금(金)처럼 팽창하고 수축하는 형상(形象) 사이의 변화(變化)를 표현하기도 한다. 음양은 세분화되어 사상(四象); 소음, 태음, 소양, 태양이 되고 좀 더 세분화되어 8괘(八卦); 건·태·이·진·손·감·간·곤이 되고 결국 『주역』 64괘에 다다른다.

하루, 한 달, 한 해의 주기적 변화를 표현하기 위해 음양은 오행(五行)으로 발전하였다. 주기적 변화의 바닥이 '수'라면 정점은 '화'에 해당한다. '수'에서 '화'로 팽창하는 중간 변화는 '목'이요, '화'에서 '수'로 수축하는 중간 변화는 '금'에 해당한다. 주기적 운동의 중앙에서 균형을 잡아주는 원점[Zero]은 '토'에 배당되며 '오행'이 완성된다. 오행 역시 형태와 상태를 표현하기도 하지만, 변화하는 성질을 표현하기도 한다.

___ 구름은 서로 닮은 동으로

지구의 자전, 달의 지구 공전, 지구의 태양 공전, 목성과 토성의 12년 30년 공전 주기를 표현하기 위해 10천간과 12지지도 등장하였다. 지구가 태양을 공전하는 한 해 동안 12번 달이 지구를 공전하니 이 한 해의 변화를 표현하는 12지지(地支)[3]가 만들어졌고, 음양과 오행의 변화를 합쳐 10천간(天干)이 만들어졌다. 이 10천간 12지지에는 음양과 오행이 배속되어 있다. 음양과 오행은 위와 같이 직관적 사고(思考)를 거쳐 분류되기도 하였지만 천지의 변화, 자연 속 만물에 대한 오랜 세월 동안의 경험, 관찰, 통계를 통해서도 분류가 되었다.

수학은 복잡한 혼돈[Chaos]을 정리된 세상[Universe]으로 인식할 수 있게 하는 중요한 수단이다. 서양 수학은 복잡한 세상의 수많은 요소를 맨 먼저 각종 집합[SET]을 통하여 분류하고 이 다양한 집합들 사이의 관계를 3개의 특별한 관계[Relations]로 압축하여 표현한다. 즉 같고 비슷함[Equivalence], 크고 작음[Partial Ordering] 그리고 함수 관계[Function]로 엮어 소위 수학적 체계[Mathematical System]를 만들고, 이 체계를 통해 세상을 표현[Modeling]한다. 모든 집합은 숫자로 변환된 다음 적절한 수학적 모델을 통해 때론 과거를 평가하고, 현재를 분석하며, 미래를 예측하여 숫자로 계산된 결과들이 나온다. 이 결과들은 평가 기준, 즉 메트릭(Metric)을 통해 평가되고 판단되어 우리가 일상생활에서 활용할 수 있게 포장된다. 우리가 사용하는 모든 ICT, 공학 제품은 이러한 수학적 과정을 거쳐 설계되고 생산된 것들이다.

남이섬의 가을

　동양 수학, 음양오행의 체계는 집합을 만들어내는 과정만큼은 추상적이고 직관적이었지만 이 집합들의 관계를 표현하는 수단은 '상생, 상극, 비슷함, 크고 작음'을 표현하는 수준에 머물렀다. 음양과 오행만으로 다양한 함수를 표현할 수 없다 보니 자극을 주는 '입력'과 변화하는 '과정', 결과로 드러난 '출력'을 명확히 구분하고 연결시켜주는 수학적 체계로 발전하지 못하였다.

　초보적인 동양 수학 체계로는 시간, 장소, 사람에 따라 서로 다른 자극, 반응, 결과를 하나하나 구체적으로 표현하고, 연결하고, 측정하기 어렵다. 예를 들면 지축의 기울기, 지축의 세차 운동, 타원형 지구 공전 궤도 등 주기적이지만 타원(楕圓) 형태로 왜곡되고 여러 가지 간섭이 많은 태양계의 주기적인 운동도 세부 변화까지 정확하게 표현하기 어렵고, 정

　　　　　　　　　　　__ 구름은 서로 닮은 동으로

상(定常)을 벗어난 간섭을 통계적으로 표현하고 분석할 수 있는 방법도 없다. 서양 수학의 숫자가 아닌 음양오행 천간지지 오운육기(五運六氣) 같은 추상적 개념들로 표현되어 디지털화가 어렵고, 전문가가 아니면 복잡한 연산 수행과 결과의 해석이 쉽지가 않다.

음양오행으로 시작된 동양 수학은 매우 직관적이어서 큰 그림을 파악하기는 용이하나, 수학적 체계의 부실함과 추상적인 표현과 해석의 한계로 발전하지 못하였고 그 쓰임이 제한적이다. 계룡산에 박혀 오랜 세월을 연구한 아날로그 고수(高手)가 아니면 파악하기 어려워 일반 대중에게는 신비하지만 이해하기는 어려운 구닥다리로 인식되고 있음이 안타까울 뿐이다.

처서 지나 백로가 가까워지면서 하늘 기운의 괘상(卦象)은 음(陰)이 좀 더 강해지며 천산둔괘[天山遯卦,䷠]에서 천지비괘[䷋][4]로 바뀌게 된다. 하지 천풍구(天風姤)에서 바람[風]처럼 시작된 음이 온 천하에 가득 퍼지는 시기로 지혜로운 사람들은 이 괘상을 보고 안타까워하며 검덕피난(儉德辟難), 나서서 드러내지 않고 곤란한 일에서 벗어나려 한다.

이를 위해 풍산점(風山漸) 호괘(互卦)[5]의 상(象)을 따라 강득중야(剛得中也) 지이손(止而巽) 동불궁야(動不窮也), 강(剛)함을 키우되 중용을 잃지 아니하며 공손하게 멈추고 움직이되 궁(窮)하지 않게 한다.

천지의 운행, 세월은 사람을 기다리지 않고 의연히 지나간다. 가끔은 우리들도 나서서 드러내지 않고 의연히 세월을 기다리며 힘을 키워야 할 때도 있다.

공자가 아니어도 사람들은 어느 날 한 번쯤은 지천명(知天命)을 하게 된다. 지난 삶의 모든 구비구비에서 마주친 인연, 바라본 경치, 걸려 넘어진 돌부리 하나조차 사랑하고 미워하고 기뻐하고 슬퍼했던, 자랑스럽고 부끄러웠던, 숨어서 기다리던 순간들 모두가 지나고 보면 다 필요했었고 머지않아 반드시 없어서는 안 될 내 삶의 소중한 일부라는 것을.

천지비처럼 꽉 막힌 시류(時流)가 어수선하다. 철없는 북한 김정은의 수소 폭탄 실험 소식도 심쿵 하고 트럼프의 장사꾼 같은 FTA 폐기 발언도 씁쓸하기 그지없다. 허리케인이 밀려와 속수무책으로 물에 잠긴 휴스턴의 모습이 어~어~ 하다 아~악 하고 있는 우리의 처지와 너무도 비슷해 보인다.

가을 산(山)에 찬바람[風] 불어 비록 수심(愁心) 가득하나 이제라도 스스로의 격(格)을 지킬 수 있는 힘을 조용히 키워야 할 때다.

道谷@丁酉白露

◇◇◇◇◇◇◇◇◇

3　천간과 지지는 p.20의 주를 보라. 12지지는 1년 12달 월(月)을 표현하고 하루 24시간 시(時)를 표현하는 데 쓰인다. 천간과 지지를 합쳐 연(年)과 일(日)을 표현하는 데 쓰인다.

4　하지까지의 괘상은 중천건괘로 6괘가 모두 '양'이다. 하지가 지나 해가 짧아지며 '음'이 일어나면 천풍구괘로 맨 아래 효(爻)가 '음'으로 바뀐다. 대서가 지나면 '음'이 더욱 강해져 아래 두 효가 '음'으로 바뀌어 천산둔괘가 되고, 처서가 지나면 아래 세 효가 '음'으로 바뀌어 천지비괘가 된다.

5　호괘는 맨 위의 효를 제외한 위의 세 효를 상괘(上卦)로 하고, 맨 아래의 효를 제외한 아래의 세 효를 하괘(下卦)로 하여 만든 괘다. 천지비의 호괘는 풍산점괘가 된다. 주로 괘에 숨어 있는 속뜻을 헤아릴 때 호괘를 본다.

　　　　　__ 구름은 서로 달은 동으로

일독(一讀) 이호색(二好色) 삼음주(三飮酒)

아득하게 넓고 그 깊이를 알 수 없는 해말갛게 푸르른 가을 하늘 그걸 무심(無心)히 바라보노라면, 뜻 모를 허전함에 가슴이 먹먹해진다.

살랑 시원한 바람에 실려, 문득 가을이 밀려온 것일까? 가을 계절이 익어가며 시원한 바람이 살랑 일어난 것일까?

오늘은 가을이 익어가며 흰[白] 이슬[露]이 맺힌다는 백로다.

백로가 지나면 본격적으로 가을이 성숙해져 아름다운 중추가절(仲秋佳節)에 접어든다.

대서(大暑) 전후 금화교역(金火交易)하는 미토(未土)의 기운이 처서(處暑) 전후 화(火)의 기운을 수렴하는 신(申)금(金)의 기운으로 바꿔주고 백로 지나 추분(秋分) 무렵이 되면 유(酉)금(金)이 되어 수렴하는 기운이 왕성해진다.

'금'의 계절은 정신적으로는 불필요한 마음을 덜어내 마음을 맑게 정화(淨化)하는 시절이요, 물질적으로는 버려야 할 것들을 정리하여 오직 의로운 열매만 추수(秋收)하는 시절이다.

완당이 쓴 현판

　가을에는 금기(金氣)를 품은 신맛[酸]이 도는 음식을 섭취하여 삼복더
위에 지치도록 발산된 에너지를 계절의 흐름에 맞추어 갈무리해주고 양
기(陽氣)를 발산하여 지친 몸을 더욱 지치게 하는 매운[辛]맛의 화기(火氣)
는 자제해야 한다.

　신맛을 의미하는 酸[실 산]에는 유금(酉金)을 상징하는 '유'가 포함되어
있어 신 것을 먹게 되면 '금기'의 수렴하는 성질로 인해 자기도 모르게 얼
굴을 찡그려 모으며 몸과 마음의 기운을 갈무리하게 된다.

　본래 '유'는 술동이를 본뜬 글자로 술을 의미하였지만 지지(地支)에서
닭이라는 의미를 갖게 되자, 술은 물 수(水) 변을 붙여 주(酒)로 바뀌었다.
가을이 되면 수렴하고 남은 빈자리의 헛헛함과 버리고 떠나온 것들에 대
한 연민으로 가을 마음[秋+心], 愁心(수심)에 젖게 마련이다. 가을을 타는 외
로운 영혼들이 수심을 털어내는 가장 손쉬운 방법은 역시 '불타는 금(金)요
일'의 한 잔 술[酒]이다.

　술은 술병에 해당하는 유(酉)시(5시 반~7시 반)에 시작해서 술이 술술 들
어간다는 술(戌)시(7시 반~9시 반)를 넘기지 않는 것이 좋다. 술시를 넘어 해

　　　　　　　　　　　　　___ 구름은 서로 닮은 동으로

(亥)시까지 해해거리며 수작(酬酌)이 과(過)하다 보면 그만 술해(戌亥); 개[戌] 돼지[亥]가 되고 만다.

초즉인탄주(初則人呑酒)

차즉주탄주(次則酒呑酒)

후즉주탄인(後則酒呑人)

처음에는 사람이 술을 마시지만

그다음은 술이 술을 마시게 되고

결국은 술이 사람을 삼켜버리게 된다

—『법화경』

술을 따른다는 의미의 작(酌)은 술동이[酉]에 국자 작(勺)이 붙어 '국자로 술동이에서 술을 덜어내 따른다'는 의미고, 갚을 수(酬)는 술잔을 받은 후 다시 건네는 것이다. 따라서 수작은 세간의 부정적인 의미와 달리 술잔을 건네 술을 따르며 정(情)을 주고받는 아름다운 우리네 대작(對酌) 문화인 것이다.

봄 안개가 겨우내 땅에 응축되어 있던 수기(水氣)가 발산되어 솟아오르는 형상이라면 가을 이슬은 하늘의 수기가 땅속으로 다시 응축되어 돌아가는 형상이다.

이제 삼로(三露); 白露(백로), 寒露(한로), 霜降(상강) 바야흐로 '참이슬'의 계절이 시작되고 있다.

추음의주(秋飮宜舟)

야음의월(夜飮宜月)

가을 술은 배를 타고 마시고

밤에 마시는 술은 달과 함께 마셔야 운치가 있다

— 임어당(林語堂), 『생활의 발견[生活的藝術]』

수무휘금사(雖無揮金事)

탁주료가시(濁酒聊可恃)

이제 주머니에 남은 돈 넉넉하지 않으니

애오라지 탁주에 기댈 수밖에

— 도연명(陶淵明), 「음주(飮酒)」

　기다리고 기다리던 추석(秋夕) 연휴에는 귀거래(歸去來) 고향으로 돌아온 옛 벗들과 월하수작(月下酬酌)하며 정겨운 탁주(濁酒) 한 자배기로, 마음 빈자리를 채워가며 청풍명월(淸風明月)이 되어보면 어떠할지.

NAH@丙申白露

　　　　　　　　　__ 구름은 서로 달은 동으로

맨발의 청춘

모처럼 우리나라 가을 날씨답게 쾌청(快晴)하고 공활(空豁)한 하늘이 출장에서 돌아오는 가을 나그네의 마음을 들뜨게 한다.

부는 바람이 시원해진 가을[秋]의 한가운데[分], 오늘은 추분이다.

음력 8월, 유(酉)월은 중추(仲秋) 가절(佳節); 아름다운 가을의 한복판이다. 유월이 되면 금(金)의 기운은 더욱 성숙해져 화(火)의 기운을 서서히 밀어내며 수렴하는 작용으로 한 해의 결실; 맛있는 열매를 맺게 한다.

미(未)월의 장마철 습기가, 신(申)월의 삼복의 열기를 거쳐 유(酉)월에 이르면 충분히 건조해지면서 해[日]와 달[月]의 기운이 과불급(過不及) 없이 조화를 이룬 양명의 상태, 양명조금(陽明燥金)의 기운으로 바뀌게 된다.

아침저녁의 커다란 일교차로 건조해진 공기, 천지의 기운으로 인해 감기에 걸리기 쉬운 시절이라 항상 물을 많이 마시고 습도를 유지하여 '폐, 대장 그리고 피부'를 촉촉하게 해줘야 할 때다.

목마는 주인(主人)을 버리고 거저 방울 소리만 울리며

가을 속으로 떠났다. 술병에서 별이 떨어진다.

상심한 별은 내 가슴에 가벼웁게 부숴진다.

— 박인환, 「목마와 숙녀」

백로(白露)가 내리던 가을날 오후 '맨발의 청춘', 김기덕 감독 처(妻) 작은 아버지께서는 바람처럼 가을 속으로 떠나가셨다.

첫 만남의 개성 있었지만 무척 낯설었던 찰리 채플린 스타일의 코밑수염, 남산 서울예전 캠퍼스에서 흔쾌히 물려받았던 중고차 제미니, 가족 생일 모임에서 기타 치며 합창(合唱)하면 신바람에 겨워 춤추던 꼬마 은지, 청태산 휴양림 언양 김 씨 가족 여행과 시끌벅적 흥겨웠던 음주(飮酒) 윷놀이의 밤, 부산영화제 김기덕 회고전, 해운대 밤거리 영화인들의 뜨거웠던 열기와 시원했던 아침 해장국, 작은 정성에도 고마움을 직접 전화로 표현하시던 한 달 전의 마지막 통화 그리고 빈소를 찾은 노장 임권택 감독의 자축거리던 발걸음과 슬퍼 보이던 눈빛.

이젠 신정(新正) 아침 차례상에 둘러앉아 함께 소주잔을 기울이는 것도 소위 왕년(往年)의 술, 주먹, 영화, 할아버지 세대에 대한 무용담을 듣는 것도 끝나버렸다.

맨발의 청춘으로 한 시대를 풍미했던 우리를 있게 만들었던 자랑스런 세대가 떠나가고 있다.

구름은 서로 달은 동으로

영화 「맨발의 청춘」

실솔재당(蟋蟀在堂)

세율기모(歲聿其莫)

금아불락(今我不樂)

일월기제(日月其除)

귀뚜라미 집에서 우니

이 해도 마침내 저물어가는구나

이제라도 한 번 즐겨야지!

세월이 또 이렇게 지나가는데

—『시경』「귀뚜라미[蟋蟀]」

　　시원한 바람 불고 귀뚜라미 우는 계절이 다가오니 제행무상(諸行無常),
변하는 모든 것들의 무상함이 사무친다.

그래서였을까? "노세 노세 젊어서 놀아, 아니 노지는 못하리라." 그렇게 옛사람들이 지나간 세월을 아쉬워했던 것은.

강(江)나루 건너서

밀밭 길을

구름에 달 가듯이

가는 나그네

— 박목월, 「나그네」

세월이 지나면 나그네처럼 다시 또 우리 세대가 떠나갈 것이다.

그때 내가 가지 않은 길, 내가 도전하지 않은 길들을 절대 후회하지 않도록 지금, 이 가을 나는 어떤 열매를 남기고 무엇을 새롭게 준비하고 있는가?

道谷@丁酉秋分

___ 구름은 서로 달은 동으로

맑은 바람 밝은 달

오늘은 밤과 낮의 길이가 같다는 가을의 한가운데 추분이다.

아름다운 가을의 한복판 추석(秋夕), 음력(陰曆) 8월 한가위 보름달은 양력(陽曆) 기준으로 정해지는 추분 이맘때를 전후해서 떠오른다.

그야말로 천고마비(天高馬肥), 하늘은 높고 동물들도 살이 찌는 계절이 돌아왔다.

올 추석 명절에도 어김없이 성묘를 가고 차례를 지내고 모처럼 만난 가족 친척들과 수다를 떨고 송편을 빚고 토란국을 끓여 먹고 잘 익은 제철 과일로 지나치리만큼 '몸 호강'을 시켰다. 어려서는 '이북식 만둣국'이 우리 집의 명절 대표 음식이었는데 서울 며느리가 안방을 차지한 이후에는 '토란국'이 명절 대표 음식이 되어버렸다.

추석에 빠지지 않는 송편, 토란국, 가을 제철 과일에는 하늘[天]과 땅[地]이 담겨 있다. 달의 모양을 본뜬 송편은 하늘의 기운을, 흙[土] 속의 알[卵] 토란(土卵)은 땅속의 기운을, 제철 과일은 땅 위의 기운을 대표하는 상징적인 음식들인 것이다.

명절이면 빠지지 않는 삼색나물; 도라지, 고사리, 시금치 역시 각각 뿌리[도라지], 줄기[고사리], 이파리[시금치]를 대표하는 나물들로 부모님을 비롯한 조상(祖上), 우리 세대 그리고 우리를 이어갈 자식 세대를 각각 상징한다.

추분이 지나면 계절의 사상(四象)은 소양(少陽)에서 태음(太陰)으로 바뀌게 된다. 밤의 길이가 길어지면서 땅이 식고 점차 찬바람이 불면 천지만물은 본능적으로 다가오는 겨울을 준비한다.

추분이 지나면 벌레들은 땅속으로 숨어들어 겨울나기를 준비하고 나무들도 단풍이 들고 낙엽을 떨구고 난 다음 모든 생명의 기운을 뿌리에 갈무리하며 월동(越冬) 준비를 시작한다.

지난 시절 우리 어머니 세대의 삶 역시 추석이 지나면 햅쌀을 팔아 긴 겨울나기 준비를 시작했다. 겨울 장작과 연탄을 서둘러 들여놓고 겨우내 먹을 시래기와 산나물들을 말리고 붉은 고추를 말리고 굵은 천일염을 구해 김장 준비를 하고 장 담글 메주를 쑤어 방에 주렁주렁 매달아놓았던, 그 부산했던 기억들은 흑백 사진처럼 아직도 아련한 추억으로 남아 있다.

가을 저녁[秋夕], 청풍명월(淸風明月)에 빠져들다 보면 고요한 달빛은 마음을 차분하게 하고 태풍이 지나간 밤하늘에서 쏟아지는 별빛은 잔잔한 마음에 신비한 희열을 뿌려준다. 어디론가 멀어져가는 듯한 가을 햇살은 쓸쓸함이 배어 있지만, 뿌듯한 자신감을 선사한다.

___ 구름은 서로 달은 동으로

한가위 보름달

가을은 청명(淸明)한 달과 별과 태양의 기운이 우리의 마음을 편안하고 밝고 도탑게 해주는 계절이다.

가을 하늘이 높고 맑은 날, 작설차 한 줌을 맑은 물로 달여내어 은은한 차[茶] 향기를 음미해보자. 그리고 달과 별과 태양의 기운(氣運)을 단전 (丹田)에 끌어모아 '마음 호강'을 시작해보자.

선수정심(先須靜心)

첩촉단좌(疊足端坐)

수렴하시(垂簾下視)

입식면면(入息綿綿)

출식미미(出息微微)

먼저 마음을 평화롭게 하고

편안한 자세로 단정히 앉아

눈을 반쯤 감고 단전을 바라보며

들이쉬는 숨은 끊임없이 면면하게

내 쉬는 숨은 가늘고 미미하게

— 북창, 『용호비결(龍虎秘訣)』

　적어도 부질없는 세속(世俗)의 근심과 욕심은 바람처럼 사라지리라. 혹시 아는가? 북창(北窓) 정염 선생처럼 사흘 만에 천하만사(天下萬事)를 관통하게 될지.

NAH@丙申秋分

　　　　　　　__ 구름은 서로 달은 동으로

인생은 들국화처럼

하늘 푸르른 산 계곡에는 발그레한 가을 단풍이 물들기 시작하고 바람 차가운 강 언덕에는 버들강아지, 갈대들이 가을의 정취(情趣)를 더해 준다. 담장 너머 감나무 가지, 마른 이파리들 아래 다소곳이 매달린 감들이 늦가을 햇볕에 주황색으로 익어가는 오늘은 차가운[寒] 이슬[露]이 맺힌다는 한로다.

추분(秋分) 지나 한로가 가까워지면 하늘 기운은 음(陰)이 완전히 주도권을 장악하여 천지의 괘상은 천지비괘[天地否卦, ䷋]에서 풍지관괘[風地觀卦, ䷓]로 바뀌게 된다.

풍지; 땅[地] 위에 바람[風]이 부니 모든 것이 움직이고 드러나 보이게[觀] 된다. 따라서 풍지관괘를 얻으면 군주(君主)는 군림(君臨)하지 아니하고 천하의 순리(順理)를 따라 겸손하게 중정이관천하(中正以觀天下), 치우치지 아니한 마음으로 두루 천하를 살핀다.

'관'은 모든 감각; 육감(六感)을 동원하여 있는 그대로 날것으로 느끼는 것이다. 관세음(觀世音)이 세상의 모든 소리, 객관(客觀)을 느끼는 것이라면 관자재(觀自在)는 스스로 존재하는 자신, 주관(主觀)을 느끼는 것이다.

단좌남창독주역(端座南窓讀周易)

종성일동욕계루(鐘聲一動欲雞樓)

남쪽 창가에 단정히 앉아 『주역』을 읽는데

종소리 울리니 철새[雞]들 높이 날아오르네

— 이색,「청룡산(靑龍山)」

연휴(連休)를 맞아 모처럼 혼자 올라간 청계산(淸溪山, 청룡산) 매봉, 그것은 완벽한 명상(冥想)이었다.

원터골 입구에서 출발할 즈음에는 강남(江南)에 두고 온 온갖 삶의 끄나풀들이 머릿속을 가득 채운 채 떠날 기색을 보이지 않더니 원터골 중턱 가파른 능선을 힘들게 돌아 오를 즈음에는 마음은 가쁜 숨을 가다듬으며 한 발자국 한 발자국 내딛는 데 온통 매달려 있다. 기어이 땀구멍이 열리고 땀이 흐르면서 몸의 고통이 조금 가라앉고 나면 마음은 오롯이 다음 발걸음을 어디에 내디뎌야 할지 다음 스틱은 어디에 찍어야 할지를 찾는 데 집중한다.

그리고 서서히 들려오는 가을 산 가득한 풀벌레 소리, 귀뚜라미 울음소리, 청계산 계곡에 넘치는 자연의 소리는 하나도 거슬리지 않고 버릴 것이 없다. 울창한 나뭇잎 사이로 내려오는 따사한 가을 햇빛과 바닥에 펼쳐진 나무 그림자들이 가을 산의 온갖 소리들과 어우러져 빛과 소리

___ 구름은 서로 달은 동으로

매봉에서 바라본 강남

의 향연(饗宴)을 펼친다.

얼굴에 땀방울이 주르르 흘러내리면 나는 잠시 멈춰 서서 땀 냄새와 어우러진 무심(無心)한 가을의 냄새를 닦아낸다.

마지막 바위틈을 숨 가쁘게 빠져나와 느릿느릿 산등성이에 올라서니 청계산 능선을 넘는 가을바람들과 화사한 햇빛들이 부드럽게 나를 감싸 안아준다. 잠시나마 무상(無想)이다. 도시에 두고 온 삶의 흔적들은 이제 먼 과거처럼 잠시 아득하게 멀어졌다. 늘 나를 붙잡고 있던 주관은 사라지고 오직 객관, 자연 속에 파묻혀 있다.

타지체(墮枝體) 출총명(黜聰明)

리형거지(離形去知)

동어대통(同於大通)

신체를 잊고, 듣고 보는 것이 멈추니

형체가 떠나고 생각도 사라지고

아득한 무엇과 하나가 된다

— 『장자』「대종사(大宗師) 좌망(坐忘)」

가슴 따뜻하면서도 지혜로운, 그리하여 진정으로 강건(剛健)한 장수(將帥)는 거인(巨人)의 어깨 위에 앉아 거인을 잊어버린 채 자신이 거인인 줄 아는 무지(無知)한 착각에 빠져 내가 세상을 다 바꿔버릴 수 있을 것만 같은 허망(虛妄)한 교만에서 벗어나야 하는데.

마음에 잔뜩 힘이 들어간 채로 세월이 지나고 나면 기억조차 남지 않는 순간들에 끝없이 집착하면서, 나와 너는 무엇을 애타게 바라며 무엇을 그렇게 허무해하는 것일까?

가을 벌판에 피어나는 들국화처럼

인생은 그렇게 거창(巨創)하지도

그렇다고 한없이 세속(世俗)적이지도 않은 것인데.

道谷@丁酉寒露

＿ 구름은 서로 닮은 동으로

흰 구름은 서로,
달은 동으로

아침저녁 바람이 점점 차가워지고 있지만 한낮의 태양은 아직도 따갑기만 하다.

'봄볕에 며느리 내보내고 가을볕에 딸 내보낸다'는 이 가을날의 따사로움을 앞으로 얼마나 더 즐길 수 있을까? 쉬지 않고 흘러가는 계절의 변화는 어느새 가을 깊숙이 접어들고 있다.

오늘은 찬[寒] 이슬[露]이 내리기 시작한다는 한로다.

한로는 태양의 기운이 약해짐에 따라 양기(陽氣)가 음기(陰氣)에게 주도권을 완전히 넘겨주면서 아침 이슬도 차갑게 바뀌며 추위가 시작되는 절기다. 한로가 되면 여름 철새 제비는 강남으로 떠나고 겨울 철새 기러기들이 북쪽에서 날아오기 시작한다.

농부들은 차가워진 이슬[寒露]이 서리로 바뀌기[霜降] 전에 서둘러 수확을 마무리한다. 가을 금기(金氣) 응축하는 기운이 열매를 맺게 하였지만 과유불급(過猶不及), 지나침은 모자람만 못한 법이다. 과일을 제때 수확하지 않고 놓아두면 모든 생명의 기운이 씨앗으로 응축되어버려 과일은 맛이 없어지고 과육(果肉)도 음기가 넘쳐 흐물흐물해진다.

하지만 농부들은 내년 농사에 종자(種子)로 쓸 나락과 열매는 잘 익고 튼실한 놈을 골라, 거두지 않고 얼마간 그대로 두어 좀 더 많은 생명 에너지가 씨앗[核]으로 응축되기를 기다린다. '철을 아는' 농부들은 벌써 지혜롭게 다가오는 정유(丁酉)년을 대비하고 있는 것이다.

차창 밖으로 지나치는 시골 길가에는 한들한들 코스모스가 한가롭게 피어 있고 멀리 보이는 언덕배기에는 구절초, 쑥부쟁이 같은 들국화들이 무리 지어 쓸쓸하게 가을을 맞이하고 있다.

네가 없으면 나는 가을이다.
바람이 불면 나는 가을이다.

그 사람 하나가 세상의 전부였던 젊은 날들은 그 사람과 함께 서서히 잊혀져갔지만, 다시 그날처럼 찬바람 불어와 살짝 들추어진 빛바랜 추억을 따라 나는 다시 그 가을로 돌아간다.

이 시절은, 이 세월은 혼자 있어도 외롭고 함께 있어도, 결국 돌아오는 길은 더욱 외로워진다.

흰 구름은 서(西)로, 달[月]은 동(東)으로. 그렇게 변하지 않는 마음을 붙잡고 변하는 마음을 바람처럼 흘려보내야지.

구절초

혼자 있음을 즐길 수 있어야 결국 혼자 떠날 수 있으리라. 이제부터는 고독(孤獨)이 아니라 단독(單獨)이다.

춥고 배고프면 가을은 단독이 아니라 고독이 된다.

옛 속담에 겨울옷은 (가을에는) 일찍 꺼내 입고, (봄에는) 늦게 벗는다 하였다. 아침저녁 찬바람을 막아줄 멋진 바람막이 옷들을 서둘러 꺼내 입어보자. 그리고는 가을이면 누렇게 살이 오르는 미꾸라지, 가을[秋] 물고기[魚] 추어(鰍魚)탕으로 한로처럼 차가워지는 마음의 허기(虛飢)를 달래고 양기를 북돋아보자.

어느새 다가온 인생의 가을, 사추기(思秋期)를 가슴 시리지 않게 흔들리지 않고 단독으로 넘어가려면 말이다.

NAH@丙申寒露

이슬은 서리가 되고

저게 저절로 붉어질 리는 없다.

저 안에 태풍 몇 개

저 안에 천둥 몇 개

저 안에 벼락 몇 개

— 장석주, 「대추 한 알」

이 가을이 저절로 가을이 되었을 리는 없다. 저 이슬이 저절로 서리가
되었을 리도 없다. 벌써 가을의 마지막 절기, 이슬이 서리[霜]가 되어 내려
앉는다[降]는 오늘은 상강이다.

음력 9월, 술(戌)월은 가을의 막바지 계추(季秋)에 해당한다. '술'을 파자
(破字)해보면 무(戊) 속에 일(一)이 포함되어 있다. '무'는 창 같은 무기로 불
필요한 것들을 의(義)롭게 처단하는 가을 금(金)의 모습을 나타내고 '일'은
수(水)를 나타내는 1수(一水)로 '술' 속에서 겨울 '수'가 시작되고 있음을 암

시한다.

계절이 바뀌는 음력 3월[辰], 6월[未], 9월[戌], 12월[丑]은 모두 토(土)에 해당하는데 '술'은 금생수(金生水), 가을 '금'에서 겨울 '수'로의 변화를 중재하는 '토'에 해당한다. 따라서 '술'은 토중지수(土中之水), 땅속에 물이 담기는 모습으로 '수' 기운이 뭉쳐 이슬이 되고 다시 서리로 엉겨 붙어 땅으로 돌아가는 계절과도 어울린다.

진술(辰戌) 태양(太陽) 한수(寒水)는 술월에 서북방(西北方)에서 블랙홀처럼 차갑게[寒水] 수축을 하고, 진(辰)월이 되면 동남방(東南方)에서 태양의 기운으로 용[辰]처럼 폭발하게 된다.

> 수출어산이주어해(水出於山而走於海)
>
> 수비오산이욕해야(水非惡山而欲海也)
>
> 고하사지연야(高下使之然也)
>
> 물이 산에서 바다로 흘러가는 것은
>
> 산이 싫어서 바다가 좋아서 가는 것이 아니다
>
> 다만 물이 높은 데서 낮은 데로 흐르는 것일 뿐
>
> ─『여씨춘추(呂氏春秋)』

찬 이슬 머금은 바람들이 가을 산자락으로 스며들면 나뭇잎들은 저마다 묻어둔 사연 따라 석양처럼 타오르다 때가 되면 홀연히 가을 계곡 바람에 몸을 던진다.

벨 에포크(Belle Époque), 아름다웠던 시절은 가고 가을은 버려야 할 것

중문 가을 바다

들을 버리며 황홀하게 떠나가고 있다.

　생야일편부운기(生也一片浮雲起)

　사야일편부운멸(死也一片浮雲滅)

　삶은 한 조각 뜬구름이 일어나는 것이요

　죽음은 한 조각 뜬구름이 사라지는 것이다

— 긍선(亘璇),『작법귀감(作法龜鑑)』

　이렇게 삶과 죽음에 초탈하면 좋으련만 이 가을이 되면 다시는 만날
수 없게 영영 떠나버린 인연(因緣)들에게 미안해하고 드디어 다시 만나게
된 더없이 반가운 귀인(貴人)들에게 고마워하고 점점 노쇠해지는, 그래서

내년 가을을 기약하기 어려운 육친(肉親)들을 안타까워한다.

"가을엔 가을엔 떠나지 말아요. 차라리 하얀 겨울에 떠나요."

라디오에서 흘러나오는 가을을 노래하는 유행가 가사들이 마음을 파고든다. 그 고독한 떠남이 있기까지 어떤 충격과 어떤 고뇌와 어떤 눈물과 어떤 회한들을 끌어안고 숨죽이며 지냈을 것인지.

비록 제비는 떠나지만 기러기가 날아오고 저 가을 나무는 낙엽을 떨구고 있지만 남은 에너지를 끌어모아 내년 봄에 피울 꽃망울, 새 생명을 가지 끝에 벌써 만들고 있다.

항상 떠나는 것이 있으면 돌아오는 것이 있고 죽어가는 것이 있으면 새로이 태어나는 것이 있다는 것이, 끝없이 순환하는 음양오행이 우리에게 보여주는 평범한 자연의 모습이다.

허무해지고 쓸쓸해지고 마음이 약해지기 쉬운 계절, 따뜻한 가을 햇볕을 온몸으로 받아들이며 자신감을 가져보자. 그리고 봄을 기다리며 가슴속에 뜨거운 태양 하나, 맹호(猛虎) 한 마리 품어보자.

가을은 가을일뿐이요 봄은 다시 봄일진대.

道谷@丁酉霜降

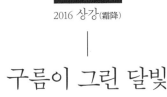

구름이 그린 달빛

만산(滿山)에 단풍이 절정을 이루고 양지(陽地)바른 정원에는 국화 향기 가득하다.

가을이 끝나가고 겨울로 다가서는 길목, 가는 계절의 아쉬움과 팍팍한 삶의 허전함을 달래려 관광버스 가득 사람들은 고단한 도시를 벗어나 단풍 속으로 달려가고 있다.

오늘은 서리[霜]가 내린다[降]는 상강이다.

온 나라에 겨울의 징조, 차가운 서릿발이 내리고 있다.

경제는 H해운 법정 관리에 이어, S전자 배터리 폭발, H자동차 파업과 리콜로 흔들리고 사회도 지진, 태풍, 홍수 같은 천재지변에 이어 권력 주변의 호가호위(狐假虎威)로 어수선한데 정치는 북한의 연이은 핵실험에도 불구하고 대선 전초전(前哨戰) 한심한 싸움질에 여념이 없다.

이걸 무력(無力)하게 지켜보는 시민들의 마음에 차가운 가을비가 내리고 있다.

2,500년 전, 역사를 기록한 『춘추(春秋)』는 일갈(一喝)한다.

차비일일지사야(此非一日之事也)

유점이지언(有漸以至焉)

이런 일은 하루아침에 일어난 것이 아니다

오랫동안 점차 그렇게 되어 그 지경에 이른 것이다

그것이 국가든 기업이든 큰 조직이 추락한 자리에는 찢어진 자만(自慢)의 날개가 있다.

가장 먼저 사람[人], 최고위층이 자만에 빠진다. 주변의 간신들이 「용비어천가」를 불러대면 자신의 실력과 무관하게 자만에 빠지거나 몇 번의 작은 성공과 주변의 찬사에 도취되면 '나는 훌륭하다'는 자기 최면에 빠져든다.

가승재적(可勝在敵)

불가승재기(不可勝在己)

내가 이길 수 있었던 것은 상대가 실수한 결과이고

내가 이기지 못하는 것은 내가 부족하기 때문이다

—『손자병법』

대부분의 성공은 내가 잘해서이기보다는 상대가 스스로 무너져서 얻게 된 행운일 경우가 많다. '인과 관계'가 아닌 우연한 '상관관계'들을 성

곱게 물든 내장산

공 요인이라 철석같이 믿고, 큰일을 벌이면 안타깝게도 '우연한 작은 성 공은 반드시 큰 실패의 어머니'가 되고 만다.

　두 번째는 성공을 거둔 조직[地]이 자만에 빠진다. 성공을 거둔 조직은 자연스럽게 전체 조직을 장악할 수 있는 힘을 얻게 되고 조직을 확장하 며 거대해지지만, 결국 방만하고 느린 조직으로 스스로 퇴화하기 마련이 다. 도움을 줄 수 있는 주변 조직들을 무시하기 시작하면 보완과 견제 기 능도 서서히 무너진다. 바깥세상의 빠르고 무서운 변화도 자기도취의 논 리로 판단하고 무시한다. 내부 조직들끼리 서로 담을 쌓고 견제하기 시작 하면 거대한 조직은 안에서부터 주저앉는다.

　세 번째는 미래[天]에 대한 준비를 소홀히 한다. 성공으로 벌어들이는 큰 이익은 결코 포기할 수 없는 마약(痲藥)이 된다. 계속 큰 이익을 유지하 기 위해 모든 판단 기준은 단기 목표를 위해 개악(改惡)되고 큰 이익 유지에 걸림돌처럼 보이는, 먼 미래의 기회에 대한 투자는 뒷전으로 밀린다. 인재들을 키우고 미래의 기회와 위험에 대한 예방 주사를 맞는 도전적인 시도들은 위축되고, 미래를 준비하는 남아 있는 참신한 시도들도 하나둘 축소되고, 구성원들은 구박 덩어리가 된다. 세월이 지날수록 미래 인재와 미래 기회들은 고갈되고 미래에 대한 통찰력도 무디어지고 '괜찮아 곧 좋아질 거야'; 막연한 자기 과신에 의존하다가, 어느 날 '한 방'에 처참히 무너진다.

자만[Arrogance]은 사람과 조직으로 하여금 남의 말을 듣고 보지 않게 만들어 결국 주변, 신하(臣下)들은 벙어리가 되고 정작 자신, 주군(主君)은 귀머거리가 되어 조직의 군상들은 한결같이 미래를 보지 못하는 청맹과니가 된다.

이상견빙지(履霜堅氷至), 서리를 밟게 되면 머지않아 단단한 얼음이 어는 겨울이 온다. 단풍이 들면 머지않아 낙엽이 떨어짐을 알고 무서리가 내리면 곧 된서리 내림을 안다.

홍운탁월(烘雲托月), '구름이 그린 달빛', 주변 구름[雲]을 그려 달[月]을 그린다. 우리 민초(民草)들이라도 단풍처럼 빨갛게 타들어가는 마음을 다잡아 서릿발처럼 다가오는 '이 나라의 겨울'을 비춰줄 달빛이라도 스스로 준비해야 할 때다.

NAH@丙申霜降

겨울

冬

인욕부중(忍辱負重)

주말에는 설악산에 첫눈이 내렸다.

올해는 윤 5월이 들어서인지 작년보다 단풍도 늦고, 설악산 첫눈도 18일이나 늦었다는 소식이다.

벌써 저녁 6시만 되면 거리에는 고즈넉이 어둠이 깔리고 차갑게 몰아치는 바람에 무더기로 떨어진 낙엽들이 초라하게 휩쓸리고 있다. 설악산 꼭대기부터 겨울이 시작되어 차갑게 남하(南下)하고 있다.

오늘은 벌써 겨울[冬]로 들어서는 길목[立] 입동이다.

상강(霜降) 지나 입동이 가까워지면 천지의 괘상은 풍지관괘[風地觀卦, ▦] 에서 산지박괘[山地剝卦, ▦]로 바뀌게 된다.

음(陰)의 기운이 양(陽)의 기운을 거의 다 깎아[剝]내 천지의 기운은 텅 비고 차가워진다. 군자(君子)는 산지박괘를 얻으면 순이지지(順而止之), 마음을 비우고 따르며 그쳐야 할 때에 반드시 그친다.

그해 겨울 갈 수 없는 길과 가야 하는 길은 포개져 있었다. 죽어서 살 것인가, 살아서 죽을 것인가.

— 김훈, 『남한산성』

살다 보면 정말 고단한, 하고 싶지 않은 소명(召命)이 내게 주어지고 어쩔 수 없이 그 소명[Vocation]을 끌어안고 가야 할 때가 오기도 한다. 받아들일 수 없는 것을 받아들일 수밖에 없었던 직원들은 말로 다 말하지 못하고 아프게 침묵하고 있다. 나는 나대로 가서 끝내야 어쨌든 다시 시작할 수 있다는 막연한 희망과 버릴 수 없어 버리지 못하는 뼈아픈 의리로 버텨내고 있다.

인욕부중(忍辱負重), 욕됨을 참으며 무거운 책임을 떠안다. 그렇게 살아온 일 년이 가고 이제 첫날[Day One], 아직 일 년이 더 남아 있다. 마음을 비우고, 가고 싶지 않은 길을 가야만 하는 것은 죽어서 살자고 살아서 죽는 일이다. '행복해서 웃는 게 아니라 웃어서 행복한 것'이라고 애써 위로해보지만, 그게 말처럼 그렇게 쉬운 일은 아니다.

이어폰을 귀에 꽂고 좋아하는 노래들을 가만히 눈감고 들어본다. 가끔은 흥겨운 음악 따라 몸 가는 대로 막춤을 추며 답답함을 떨쳐본다. 여전히 창밖은 매서운 겨울이 오려는 듯 회색빛으로 가라앉아 있다.

One is never fortunate or as unfortunate as one imagines.

우리는 절대 우리가 상상하는 것만큼 행복해지지도 불행해지지도 않는다.

— 프랑수아 드 라 로슈푸코

___ 구름은 서로 닮은 동으로

설악산 첫눈

산지박의 끝에는 다가올 봄날의 씨가 될 상구(上九)가 남아 있고 산지박 다음에는 지뢰복괘(地雷復卦)가 따라온다.

저기 창밖의 자연은 때가 되면 스스로 멈추고 때가 되면 홀연히 떠나고 때가 되면 굳세게 다시 시작한다. 지금 나는 겨울에 들어섰지만 결국 나의 봄은 다시 돌아올 것이라는 믿음으로 오늘 죽어서 내일을 살자고, 지켜야 할 약속을 지키기 위해 오늘도 나는 어둠을 뚫고 집을 나선다.

道谷@丁酉立冬

벌써 저 느티나무는

"벌써 저 느티나무는 빠알간 이파리조차 바람결에 날리우고 그 허무한 가지에 뽀얀 달빛을 묻혀보는 秋."

이렇게 시작하는 편지를 가슴 설레며 써 내려가던 홍릉 과학원 소정사 24호, 이층 침대의 추억이 아련해지는 가을밤이다. 벌써 가을이 끝나고 겨울[冬]로 들어선다[立]는 오늘은 마음이 시려지는 입동이다.

불환무위(不患無位) 환소이립(患所以立), 자리에서 내쳐질까 두려워할 것이 아니라 자리를 지킬 역량이 있었는지 두려워했어야 했다.

서릿발처럼 다가온 '이 나라의 겨울'은 꼭두각시 공주님의 연기력과 눈은 있으되 눈망울이 없었던 청맹과니 국민들의 퇴행 소망이 4년 전 공모(共謀)하여 시작해놓은, 희극(喜劇)적 드라마의 비극(悲劇)적인 결말이다.

19세기 말, 이 땅의 조선 왕조에서도 비슷한 막장 드라마들이 펼쳐지고 있었다.

박유붕(朴有鵬), 일명 백운학(白雲鶴)이라 불리던 그는 청도 운문사(雲門寺)의 일허 선사에게서 『신상전편(神相全篇)』을 사사하고 스승의 말대로 한쪽 눈을 찔러 애꾸눈이 된 야망의 관상가였다. 일설에는 그의 처가(妻家)가 임진왜란 때 명나라에서 귀화한 두사충(杜思忠)의 후손이었는데 처가에 전해지던 관상 비전(秘傳)을 공부하여 신묘한 관상가가 되었다 한다.

두사충은 임진왜란 때 이여송과 함께 원병을 와서 주위의 지형을 살펴서 진지에 적합한 장소를 고르고 터를 만들어주는 수륙지획(水陸地劃) 주사(主事)를 담당한 풍수 등에 일가를 이룬 술사(術士)였다. 그의 매부 진린(陳璘) 도독을 따라 정유재란에도 원병을 왔던 두사충이 명나라로 돌아가지 않고 조선에 눌러앉은 것은 명나라의 천운(天運)이 다해 청나라에 의해 멸망할 것을 알았기 때문이라고 한다.

아무튼 이 관상가 박유붕은 1859년, 파락호로 멸시받던 흥선군의 사가(私家)인 운현궁을 지나다가 흥선군의 둘째 아들 이명복(후일 고종)을 보고 "상감마마"라며 엎드려 절했다 한다. 복채를 걱정하는 흥선군에게 "제왕의 관상을 보았으니 복채는 최소 3만 냥은 받아야 하는데 명복이 왕위에 오르는 4년 뒤에 받으러 오겠다" 하였단다.

1863년, 예언대로 고종이 즉위하자 박유붕은 복채 실을 당나귀 네 마리를 끌고 나타나니 흥선대원군은 박유붕을 책사(策士)로 삼고, 운현궁 옆에 45칸 저택을 지어주고 수표교에서 돈암동에 이르는 땅을 하사하였으며 언양 현감이라는 벼슬까지 제수하였단다.

대원군을 등에 업고 호가호위(狐假虎威)하던 박유붕은 결국 관상 탓에 몰락하고 만다. 첫째는 외척의 발호를 걱정하던 대원군이 처가인 여흥

민 씨 집 안에서 민자영(후일 명성황후)을 왕비로 낙점하였으나, 박유붕은 "흥선대원군의 앞길을 막게 될 것"이라며 세 번 반대하다가 대원군의 노여움을 사게 되었다. 둘째는 고종이 총각 시절에 사랑하던 귀인 이 씨와의 사이에 태어난 아들 완화군(完和君)을 고종이 원자로 책봉하려 하자, 완화군이 단명(短命)함을 예감한 박유붕이 "원자 책봉을 늦추십시오"라고 말리다가 고종의 노여움을 사 관직에서 추방되게 된다.(완화군은 결국 홍역을 앓다가 열세 살에 요절하고 만다.)

결국 자신의 관상과 운명은 제대로 예감하지 못했던 박유붕은 나머지 눈마저 지져 장님이 되었고, 비참한 죽음을 맞이하게 되었다 한다.

1882년 임오군란이 일어나던 해, 여름 충주시 괴동면 백운산 아래 살던 용하다고 소문난 무당 윤 씨는 임오군란을 피해 충주 장호원으로 피신해 있던 왕비 민 씨의 은신처를 찾아가 "중전께서 이곳에 계시다고 신령님께서 계시해주었습니다. 음력 8월 초하루가 되면 환궁할 것입니다" 예언하였다 한다.

무당 윤 씨의 예언이 적중하자 무당을 크게 신임하게 된 왕비 민 씨는 무당을 대궐로 데리고 가 왕자(王子)급에 해당하는 '진령군(眞靈君)'이라는 칭호를 내리고 매사의 판단을 의존하게 된다. 비선(秘線) 실세(實勢)로 거듭나게 된 진령군은 '관우의 딸'이라며 지금의 숭인동에 관왕묘; 북묘(北廟)를 짓고 거주하며 온갖 굿판을 벌이고 정사에 개입하게 된다.

고종과의 사이에 3남 1녀를 두었던 왕비 민 씨는 두 아들과 딸 하나를 어려서 모두 잃게 되자, 마지막 남은 세자(후일 순종)의 건강을 기원한다

마지막 잎새

며 진령군을 시켜 전국의 명산과 사찰에서 산천 기도를 올리게 하고, 진령군은 굿판과 제사를 벌여 사복(私腹)을 채우며 국고(國庫)를 물 쓰듯 탕진한다. 1884년 갑신정변 당시에는 고종과 왕비 민 씨가 진령군의 북묘로 피신, 화를 면하게 되고 절대적 신임을 얻은 진령군은 관찰사와 사또까지 임명하고 내쫓는 일에까지 관여를 했다고 한다. 망둥이가 뛰면 꼴뚜기도 뛰는 법. 진령군의 아들 '김창렬'이라는 자도 당상관 관복을 입고 실세 노릇을 하고, 김해 출신 '이유인'이란 자는 진령군을 미혹하여 신임을 얻은 후 양주 목사에 임명이 되고 북묘에 함께 기거하며 권세를 부리니 둘 사이에 추한 소문이 돌았다 한다. 고관대작들조차 진령군에게 줄을 대고 아부를 하였고 진령군을 누나, 어머니라 불렀다고.

화무십일홍(花無十日紅), 꽃은 피면 언젠가는 지는 법이다.

1894년 청일전쟁이 일본의 승리로 끝나고 친일 내각이 권력을 잡자 진령군은 옥에 갇히고 모든 재산을 압수당하고 겨우 풀려나게 된다. 이듬해 을미왜변으로 명성황후가 시해되자 그 충격이었는지 진령군도 세상을 하직하게 된다.

비선 실세가 농단(壟斷)하던 조선, 대한제국이 일제의 침탈을 막지 못하고 망하고 난 후 가여운 민초들의 삶이 어떠했는지는 지난 역사가 처절하게 증명하였건만 어리석은 우리들은 그 역사 속 비극을 희극적으로 반복하고 있다. 무당 윤 씨와 왕비 민 씨는 '어려울 때 도와준 인연'으로 얽히게 되었고 '진령'은 '진실한 영혼'이라는 뜻이니 꼭두각시 공주님을 '어려울 때 도와준 인연', '진실한 사람'과 어쩌면 이리도 닮은꼴인지.

병신년(丙申年) 산하화(山下火)는 그런 뜻이었나? 초여름의 태양이 늦은 오후 벌써 산 아래로 지고 있다.

그리고 입동, '이 나라의 겨울'이 일어서서 달려오고 있다.

인유계견방즉 지구지(人有鷄犬放則 知求之)

유방심이부지구(有放心而不知求)

사람들은 개와 닭이 없어지면 찾으러 다니지만

놓치고 잃어버린 마음은 찾으러 다니지 않는다

—『맹자』

아직도 모른다면 어리석은 것이요, 알고도 모른 척했다면 비겁한 것이다. 이젠 더는 어리석지도, 비겁하지도 말아야 한다.

바로잡아야 하는 것들을 우리가 지혜롭게[智] 용기[勇] 있게 지금 바로잡는 것이야말로 어리석음 때문에 비겁함 때문에 잃어버린 우리들의 정의로움을 다시 찾고 우리 자식 세대에게 치욕의 역사가 반복되지 않도록 전화위복(轉禍爲福)하는 길이다.

NAH@丙申立冬

첫눈이 내리는 날은

첫눈이 내리는 날은

캄캄한 밤도 하얘지고

밤길을 걷는 내 어두운 맘도 하얘지고

— 김남주, 「첫눈」

오늘은 땅이 얼고 물도 얼고 눈이 오기 시작한다는 소설이다.

 음력 10월, 해(亥)월은 겨울의 시작, 맹동(孟冬)에 해당한다. 술(戌)월이 가을에서 겨울로 넘어가는 시절이라면, 해월은 본격적으로 기온이 떨어져 추워지며 눈이 내리고 땅이 얼어붙으면서 겨울로 진입하는 시절이다.

 씨앗, 풀뿌리를 의미하는 글자 핵(核) 속에는 '해(亥)'가 포함되어 있다. 음력 10월이면 천지의 양기(陽氣)가 씨앗[核]으로 속으로 수축하고 봄이 되어야 목(木)으로 다시 깨어나게 된다. 해월의 드러난 모습은 겨울 수(水)의 수축과 감춤[藏]이지만, 속에는 봄 목(木)이 숨어 있는 수중지목(水中之

木)의 상(象)으로 겨울잠을 자며 새봄을 준비해야 하는 시절인 것이다.

자연은 가을 열매를 맺고 나면 미련(未練) 없이 버릴 것을 버리고 겨울을 받아들인다. 천지의 기운이 순환(循環)하여 다시 봄이 올 것을 알고 있기 때문이다. 우리네 삶의 흐름도 태어나 배우고 독립하는 인생의 봄 사춘기(思春期)를 거쳐 가을 사추기(思秋期)를 지나면 배우고 경험한 것을 남기고, 때가 되면 물러난다.

> 인생십년왈유학(人生十年曰幼學)
>
> 이십왈약관(二十曰弱冠)
>
> 삼십왈장유실(三十曰壯有室)
>
> 육십왈기지사(六十曰耆指使)
>
> 칠십왈노이전(七十曰老而傳)
>
> 사람이 태어나 열 살이 되면 유(幼)라 하며 배워야 한다
>
> 스무 살이 되면 약(弱)이라 하며 성인이 되어 독립한다
>
> 삼십이 되면 장(壯)이라 하며 결혼하여 가정을 갖는다[1]
>
> 육십이 되면 기(耆)라 하며 지시하고 일을 시킨다
>
> 칠십이 되면 노(老)라 하며 자식과 후진에게 물려준다
>
> ─『예기(禮記)』

동양학에서도 지지(地支)에 따른 음양오행의 부침(浮沈)에 따라 우리의 삶 또한 12년 주기로 기운(氣運)의 부침을 겪게 된다고 주장한다.

철새 군무

　첫해 장생(長生)에서 태어나고 목욕(沐浴), 관대(冠帶), 건록(建禄)을 거쳐 매년 성장하며 다섯 번째 해 제왕(帝旺)에 이르면 가장 기운이 왕성해진다. 여섯 번째 해부터 쇠(衰), 병(病), 사(死)를 거쳐 기운이 매년 약해지고 아홉 번째 해 묘(墓)에 묻히고 열 번째 해에 절(絶)로 끊어지지만 다시 열한 번째 해에 태(胎), 잉태되고 열두 번째 해 양(養), 길러져 다시 태어난다.

　태어난 해의 지지가 신(申), 자(子), 진(辰)에 해당하는 원숭이, 쥐, 용띠는 수국(水局)에 속하여 '신'에서 장생하고 '자'에서 제왕 하고, '진'에서 묘 한다고 여긴다. 해(亥), 묘(卯), 미(未)에 해당하는 돼지, 토끼, 양띠는 목국(木局)에 속하여 '해'에서 장생하고, '묘'에서 제왕 하며, '미'에서 묘 한다고 여긴다. 인(寅), 오(午), 술(戌)에 해당하는 호랑이, 말, 개띠는 화국(火局)에 속하여 '인'에서 장생하고, '오'에서 제왕 하며, '술'에서 묘 한다고 여긴다. 사(巳), 유(酉), 축(丑)에 해당하는 뱀, 닭, 소띠는 금국(金局)에 속하여 '사'에

242

서 장생하고, '유'에서 제왕 하며, '축'에서 묘 한다고 여긴다.

나이가 네 살 차이면 삼합(三合)으로 같은 국(局)에 속한다. 네 살 많은 남편이 약한 기운을 타게 될 때 네 살 적은 아내의 생(生)하는 기운이 보완해주고, 아내가 약한 기운을 타게 될 때 남편의 왕성한 기운이 보완하게 되니 흔히들 "(걸)궁합이 좋다"고 한다.

흔히 세간에서는 병, 사, 묘가 오는 3년을 "삼재(三災)가 들었다"고 하는데 다만 천지의 기운 흐름이 상대적으로 약할 뿐 사람의 열정과 의지 그리고 노력을 넘어서지 못한다.[2]

삶의 부침에 의기소침할 필요는 없다. 흐름[運]이 강할 때는 잘 활용하되 겸손하고 더욱 노력해야 하며, 흐름이 약할 때는 자연이 겨울을 견뎌내듯 조심하고 성실하게 준비하여 다시 흐름이 강해질 때를 대비하면 그만이다.

준비가 되어 있을 때 기회가 찾아오는 것을 일컬어 "운(運)이 좋다"고 한다. 새로운 기회는 우리 앞에 반드시 나타난다. 지긋지긋한 겨울이 지나면 봄이 항상 돌아오듯이.

道谷@丁酉小雪

◇◇◇◇◇◇◇◇◇◇

1 사십(四十)은 미혹하지 않고 굳건하여 강(强)이라 하며, 오십(五十)은 머리가 희게 되어 애(艾)라 하고, 팔십구십(八十九十)은 혼미해진다 하여 모(耄)라 한다.
2 흔히 당사주(唐四柱)라고 하는 명리학에서 주장하는 학설의 하나로 여기에 얽매여 위축될 필요는 없다.

긴 겨울의 시작

> 바다는 크레파스보다 진한 푸르고 육중한 비늘을 무겁게 뒤채면서, 숨을 쉰다.
>
> — 최인훈, 『광장』

이 답답한 천하(天下)에 펑펑 함박눈이라도 쏟아졌으면 좋겠다.

땅이 얼기 시작하고, 첫눈이 내린다는 오늘은 소설이다.

음력 시월 '상달'은 '초순의 홑바지가 하순의 솜바지로 바뀐다'는 속담처럼 기온이 크게 떨어져 본격적인 추위가 시작되고 땅이 얼어붙는 시절이다.

입동 소설에 해당하는 초겨울은 지지(地支)로는 해(亥), 오행(五行)으로는 수(水), 여름까지 화(火)로 분화하였던 천지의 기운(氣運)이 빠르게 '수'로 수축하는 시기다. 나무[木]들은 생명 에너지를 다음 세대를 위해 핵(核)에 수렴시켜 씨앗[子] 속에 저장하고, 내년 봄[春]을 기약하며 뿌리 깊숙이 감추고 겨울잠에 빠져든다.

덕유산 설경(雪景)

지구촌에도 긴 겨울이 시작되고 있다.

'공급은 수요를 창출한다'는 초기 자본주의의 '근거 없는 믿음[Hype]'은 이제 한계에 다다랐고 전 세계적인 공급 과잉은 탈출구를 찾지 못한 채 전 세계를 불황의 악순환, 통화 전쟁, '너 죽고 나 살자'는 보호주의 갈등으로 몰아가고 있다.

1850년대 서구에서 처음 발생한 자본주의 공급 과잉의 위기는 아시아 아프리카의 식민지 개척과 자유 무역의 확대로 부족한 수요의 문제를 해결할 수 있었다.

하지만 공급 과잉은 계속되었고 독점 체제와 보호 무역으로 회귀하여 '나만 살고 보자' 연명하던 자본주의 체제는 후발 국가들의 반발로 두 차례에 걸친 세계대전과 미국 대공황을 겪으며 한계를 드러낸다. 자본주의에 대한 반발로 공산주의가 대두되어, 전 세계는 냉전 체제에 빠져들게 되고 자본주의 국가들은 '국가의 소비를 늘려서 부족한 소비를 보충하자'는 케인즈주의로 자본주의의 두 번째 위기를 극복하게 된다.

전후 복구, ICT 등 기술의 발달과 인구 증가로 한동안 유지되던 공급과 수요의 균형은 다시 소비 확대의 한계에 부딪히고, 결국 금본위제 폐지를 통한 통화 남발에도 불구하고 스태그플레이션; 경기는 후퇴하고 인플레이션이 발생하는 자본주의 세 번째 위기에 봉착한다.

1980년대 신(新)자유주의 경제학은 '민간 신용'이라는 '위험한' 수요 창출 개념을 도입한다. 선진국에서는 너도나도 신용 카드를 만들어 미래의 수익을 당겨 소비하고, 때마침 BRIC 같은 신흥 대국들이 성장하며 새로운 소비 대열에 합류하면서 자본주의는 전성시대를 맞이하고 문제없이 번영하는 것처럼 보였다.

하지만 2008년 장밋빛 미래를 담보로 한 주택 거품이 꺼지며 발생한 '리먼 브라더스 사태' 이후 전 세계는 소비 절벽에 빠져들고, 자본주의는 탈출구 없는 침체에서 아직 벗어나지 못하고 있다.

더 개척할 신세계[地]도 없고, 소비를 창출할 여력이 남은 국가[人]도 많지 않고, 신용이라는 미래의 수익[天]도 거의 다 끌어다 써버린, 지구촌의 수요는 한계에 도달했는데 중국을 중심으로 한 공급 과잉은 결국 원자재 가격의 하락, 원자재 수출국들의 수입 감소, 통화 가치 하락에 따른 수요 감소, 다시 공급 과잉이라는 악순환을 강요하고 있다.

구름은 서로 달은 동으로

지난 50년간 컴퓨터, 인터넷, 스마트폰 같은 ICT 기술의 발달과 대중화는 생산의 자동화, 업무의 효율화를 통해 생산직과 사무직의 일자리를 줄기차게 없애버렸다. 교통수단의 발달과 통신 기술의 발달은 세계화[Globalization]를 가능하게 만들었고 다국적 기업들은 가장 임금이 싼 나라를 찾아 공장을 옮기고 서비스를 위탁하면서 그나마 남은 싼 임금의 일자리마저 전 세계 노동자들과 경쟁하게 만들어버렸다.

　그동안 경기를 부양해왔던 국가와 지방 정부의 부채 규모도 위험 수위에 육박하고, 중국 등 신흥국의 인구도 성장이 둔화되면서 전 세계 인구의 증가도 주춤해지고, 선진국들이 고령 사회로 접어들면서 지구촌의 미래 수요 창출 여력도 한계에 도달하고 있다.

　양극화에 따른 소득 불평등, 저소득층의 가처분 소득의 감소, 가계 부채의 증가가 지속되면서 지구촌 곳곳은 소비가 크게 위축되고 있고 희망 없는 미래에 대한 불안은 이민자에 대한 정서적 혐오, FTA 등 세계화에 대한 정치적 반발 등으로 폭발하고 있다.

　지구촌 전체는 다시 '나만 살고 보자'는 거대한 비이성(非理性)으로 몰려가고 있는 듯하다. 러시아는 강력했던 '소련연방'의 향수를 자극하는 푸틴의 독재가 지속되고 있고 중국도 다시 왕조 시대로 돌아가려는 듯한 시진핑의 독재가 시작되고 있다. 일본 역시 제국주의 시대의 영광과 부활을 꿈꾸는 아베의 독주를 지지하고 있고, 유럽을 비롯한 세계 곳곳에서 극우 세력들이 득세하는 조짐이 보이고 있다.

　독일, 이탈리아, 일본의 파시즘을 분쇄하고 소련과 중공의 공산주의를 제압하며 세계사를 이성과 합리의 시대로 이끌어왔던 영국과 미국마저 브렉시트, 트럼피즘 같은 고립주의, 보호주의로 돌아서고 있다.

차면 기울고 기울면 다시 차기 시작하는 것이 자연의 섭리고, 역사의 수레바퀴가 남긴 교훈이다.

거시적으로는 큰 국가들로부터, 미시적으로는 개인들까지 모든 집단은 결국 이기주의, 고립주의, 보호주의로 다시 회귀하게 될 것이고 이들 집단 간의 정치적·경제적 이해의 충돌로 사회적 갈등은 격화될 것이다.

그리고 권력 투쟁은 쉽게 끝나지 않을 것이다.

소설이 지나면 머지않아 눈이 내리고, 날씨는 더욱 추워질 것이다.

시린 겨울날의 기억들 속에서 그나마 위안으로 남아 있는 것은 따뜻한 아랫목의 추억과 펑펑 내리는 눈을 가슴 설레며 바라보던 추억들이다.

모진 겨울을 수없이 넘길 수 있었던 것은 겨울은 끝나게 마련이라는 굳건한 믿음, '해가 뜨기 전이 가장 추웠다'는 소중한 경험들, 다가오는 봄을 향한 뜨거운 소망이 있었기 때문이다.

지도자가 지도자답고, 관리가 관리답고, 시민이 시민답고, 부모가 부모답고, 자식이 자식다우면 된다.

다가오는 긴 겨울, 이 나라가 얼어 죽지 않고 살아남으려면 말이다.

그대여, 버려진 섬에도 꽃은 피고, 봄은 오나니.

NAH@丙申小雪

___ 구름은 서로 닿은 동으로

이 겨울, 눈이 내리면

한 해의 끝자락 12월 초순이면 늘 맞이하는 절기, 오늘은 눈[雪]이 자주[大] 내리는 시기라는 대설이다.

온 산하(山河)에 눈이 내려 차가운 겨울 수(水)의 기운이 가득 차오르니 사람들은 두툼하고 긴 패딩 속에 거북이처럼 몸을 움츠리고 헛헛한 마음 감싸줄 오붓한 자리를 찾아 낭인(浪人)처럼 거리를 떠돌고 있다.

소설(小雪) 지나 대설이 가까워지면 천지의 괘상은 산지박괘[山地剝卦, ☷]에서 중지곤괘[重地坤卦, ☷]로 바뀌게 된다.

땅 지(地)는 파자(破字)하면 흙[土] + 이다[也]라는 의미가 되는데 야(也)는 가운데 주맥(主脈)을 중심으로 좌청룡 우백호가 꽃잎처럼 둘러쳐진 명당의 모습으로 만물을 낳는 어머니, '세상의 기원'을 은유(隱喩)한다.

음효(陰爻)로 채워진 중지곤괘는 땅[地]의 낳고 기르는 덕(德)을 대표하니 옛사람들은 이 괘를 보고 후덕재물(厚德載物), 모든 만물[物]을 포용[載]할 수 있도록 '덕'을 두텁게[厚] 쌓았다.

겨울 '수'의 '덕'은 수생목(水生木) 하는, 봄의 새 생명을 키워내는 목덕(木德)의 어머니로 중지곤괘의 낳고 기르는 지덕(地德)과 상통(相通)한다.

눈은 물[水]의 정기(精氣)가 제철을 맞아 밖으로 드러나 맺힌 것으로 큰 눈[大雪]은 대지(大地)를 덮어 겨울을 나는 땅속의 씨앗과 뿌리를 추위로부터 보호하며, 봄이 가까워지면 조금씩 녹아 물을 제공하여 만물이 싹 트고 자라게 도와준다.

'나의 살던 고향', 내가 태어나고 초중고를 다니고 26년 넘게 직장 생활을 하고 있는 수원(水原)은 이름이 의미하는 대로 한반도의 정수(精水)를 담고 있는 '물의 고향'이다.

원래 수원부 치소(治所)는 사도세자의 능이 있는 화산(花山) 부근에 있었다. 정조는 양주 배봉산(拜峰山)에 있던 사도세자의 능이 흉(凶)하다 하여 이장(移葬)을 고려하던 중 풍수지리에 능했던 고산 윤선도가 효종의 능자리로 추천했던, 반룡농주형(盤龍弄珠形)[3]의 명당이라는 화산 융릉으로 이장을 결정하면서 화산 부근의 수원부 치소를 지금의 화성(華城)이 있는 팔달산 일대로 옮기게 하였다.

반계 유형원은 일찍이 『반계수록』에서 팔달산 일대를 1만 호(戶)를 수용할 수 있는 새로운 수원 치소 후보지로 추천하였는데, 정조가 120년 후에 이를 실행에 옮긴 것이었다.

수원 팔달산 화성 일대는 북쪽은 광교산과 백운산이, 동쪽은 청명산과 매미산이, 서쪽은 군포 구봉산과 칠보산이, 남쪽은 성황산과 병점 구

___ 구름은 서로 닿은 동으로

화성행궁

봉산이 둘러싸고 있는 꽃[華] 모양의 분지로 회룡고조형(回龍顧祖形)의 명당으로 알려져 있다.

수원은 산들이 겹겹이 둘러싼 꽃 모양의 산 사이를 황구지천, 서호천, 수원천, 원천천이 북에서 남으로 흐르며 하나로 합쳐져 남쪽의 성황산과 병점 구봉산 결구(缺口) 사이로 빠져나가는 형세로, 물이 풍부하고 수기운이 잘 보전되는 야(也) 자 형의 풍수를 지니고 있다.

풍수에서는 물이 재물을 의미하는데 팔달산의 모습 또한 풍수에서 재물을 의미하는 엎어진 배; 복주(伏舟) 혹은 기와지붕; 하전(下殿)의 모습을 하고 있다. 팔달(八達)은 전 세계로 수출하는 모습을, '수'는 음(陰)을 대표하는 것으로 물산(物産)을 의미하니 수원을 기반으로 하는 SK나 삼성 같은 기업들이 반도체 휴대폰 같은 HW로 큰 이익을 얻는 것이 결코 우연은 아닐 것이다.

인생 100년이라 해야 우리가 맞이할 수 있는 12월은 겨우 100번, 우리는 과연 앞으로 몇 번의 12월, 몇 번의 대설을 맞이할 수 있을까?

저물어가는 2017년 내내 제대로 만나지 못한 지인(知人)들에게 연락하여 소주 한 잔 앞에 두고 못다 한 이야기들을 나눠보는 그런 시절이 돌아왔다. 연락해서 만나고 싶었지만 서로 잊고 지냈던 사람들과 더불어 돌이켜보면 별로 다시 겪고 싶지 않은 인간 군상(群像)들과 온갖 사건(事件)들도 떠오른다.

세월이 지나고 나면 기억하지도 못 할 것들은 이제 '큰 눈'처럼 그냥 덮고 잊어버려보자. 그리고 참을 수 없는 것들을 기꺼이 참아낼 수 있는 용기(勇氣)와 지혜(智慧)를, 용서할 수 없는 것들도 미워하지 않을 수 있는 평정심(平靜心)을 조용히 간구(懇求)하면서.

道谷@丁酉大雪

---

3 도선(道詵)이 반룡농주형 명당으로 일찍이 점지한 곳이다. 용의 구슬[龍珠]이란 이름의 용주사(龍珠寺)도 정조가 직접 작명하였다고 한다.

___ 구름은 서로 달은 동으로

천하 사람들의 천하

벌써 2016년의 마지막 달, 12월에 접어들었다. 이렇게 또 한 해가 가고 있다.

때가 되면 떠나야 할 사람은 떠나고, 세월 속에 그 이름조차 잊히건만 떠나야 할 사람이 떠나지 않은 채 그 그림자가 길고 참 모질기만 하다.

촛불 든 시민들의 마음같이 날씨는 점점 더 추워지고 있다. 일 년 중 눈[雪]이 많이[大] 내리는 절기, 오늘은 대설이다.

> 천하비일인지천하(天下非一人之天下)
> 내천하지천하야(乃天下之天下也)
> 천하는 한 사람의 천하가 아니다
> 천하 사람들의 천하다
>
> —『육도(六韜)』

Of the People, By the People, For the People

시민의, 시민에 의한, 시민을 위한

— 에이브러험 링컨

민심(民心)이 활화산(活火山)처럼 끓어오르고 있건만 '모든 권력은 시민에게서 나오고, 다시 시민에 의해 거두어진다'는 평범한 상식을 거부하는 불상(不尙)한 위정자(爲政者)들로 인해 온 나라가 어지럽다.

군불상(君不尙)

기국위이민란(其國危而民亂)

지도자가 어리석으면

그 나라는 위태로워지고 백성들은 어지러워진다

— 『육도』

마음은 허령(虛靈)하다. 마음은 텅 비어[虛] 조금도 있는 것이 없지만 그텅 빈 마음은 모든 것을 담을 수 있어 하나도 없는 것이 없다[靈].

불가(佛家)에서는 마음을 거울과 물에 비유한다. 거울은 맑고 비어서 아무런 의식이 없지만 능히 만물을 비출 수 있다. 하지만 티끌이 끼어서 거울의 맑음을 가리면, 거울은 비추는 힘을 잃고 만다. 물[水] 또한 본래 맑고 고요한 것이지만, 진흙이 섞이면 물이 흐려지고 바람을 만나면 흔들리게 된다.

사람의 마음이 미혹(迷惑)하면 무엇을 버리지 못하고 빠져들고[迷], 혹

___ 구름은 서로 달은 동으로

하늘 아래 온 세상

시나 하고 요행을 기대하면[惑] 그 마음의 거울에 자기가 보고 싶은 그림만 그려놓게 된다. 어떤 사물을 어떤 상황을 비춰도, 그 거울에서는 자기가 보고 싶은 그림만 보이게 된다.

오염(汚染)된 자신의 뇌; 거짓 마음, 욕심으로 똘똘 뭉친 허상(虛像)에 빠지게 되면 모두에게 명백하게 보이는 것조차 혼자서만 보지 못하고 혼자서만 보지 않게 된다.

편안하게 근육과 내장(內臟)과 생각의 긴장(緊張)을 하나씩 내려놓고 가늘고, 길고, 깊게 몸이 시키는 대로 호흡을 맡겨보자.

마음이 성성적적(惺惺寂寂), 오만(五萬) 가지 지나가는 것들이 다 안개같이 사라져가도 잠들지 않으며[惺惺], 적막강산(寂寞江山) 바람 가듯이 오로

지 호흡을 놓지 않고 따라가노라면[寂寂], 어느새 생각이 사라지고 호흡도 느껴지지 않을 때

부지아지유형(不知我之有形)
형지유아(形之有我)
내 몸의 모습도 느껴지지 않고,
내가 있음 또한 느껴지지 않는

— 정렴, 『용호비결(龍虎秘訣)』

어떤 자유로움을 만나게 된다. 존재 그 자체는 무한(無限)하고 텅 비어 맑다. 다만 안타까운 것은 그 니르바나(Nirvana)에 오래 머물지 못하고 존재는 다시 '미세 먼지와 소음으로 가득 찬 도시 한가운데'로 돌아오고 만다.

쉽게 놓지 못하는 것이 인지상정(人之常情), 사람의 마음이긴 하나 열심히 살았다 해도 똑바로 살지 않으면 결국 민폐(民弊)가 되고 범죄(犯罪)가된다. 이도 저도 안 되는 지금, 불상한 위정자의 무리가 이걸 알게 되는 그날은 언제 올 수 있을까?

제36계 주위상(走爲上), 줄행랑이 상책(上策)이다.

NAH@丙申大雪

또 한 해를 보내며

때 이르게 몰려 내려온 북극의 냉혹한 추위가 한강(漢江)을 얼어붙게 만들더니 밤새 내린 폭설은 을씨년스러운 회색빛 겨울 거리를 하얗게 덮어버렸다.

벌써 2017년 12월의 막바지, 매서운 겨울[冬]의 바닥[至], 오늘은 동지다.

음력 11월, 자(子)월은 겨울의 한가운데이자 동지를 기점으로 하늘의 봄[春]이 시작되는 달이다.

'자'는 어린아이가 팔을 벌리고 있는 모습을 본뜬 글자로, 만물이 자라고 크게 번성해 나간다는 의미[滋]를 내포하고 있다. 따라서 결명자, 구기자, 복분자, 오미자처럼 새로운 생명의 시작인 각종 열매와 씨앗에 '자'자가 붙어 있고 공자, 관자, 노자, 맹자, 손자, 한비자 같은 새로운 사상을 전파해 나간 비조(鼻祖)들에게도 '자' 자를 붙여준다.

북방의 기운을 대표하는 자수(子水)는 모든 것이 응축된 모습으로 숫자로 표현하면 일(一)에 해당한다. 하지만 '자수'의 반대편에는 활활 타오르는 하지(夏至)의 오화(午火)가 자리 잡고 있는데 '오화'는 모든 것이 분화된 모습으로 숫자로 표현하면 이(二)에 해당한다. 동지 '자수'부터 화(火)가 처음 시작되고 하지 오화에서 절정에 이르게 되는, 하나[一]가 둘[二]로 분화하는 변화가 일어난다. 따라서 '자수'는 수중지화(水中之火), 속에 불이 숨겨진 물에 해당한다.[4]

14시간이 넘는 동짓달 기나긴 밤, 북풍(北風) 한설(寒雪) 몰아칠 때 방구석에 틀어박혀 아득한 봄날을 기다리며 조금씩 지쳐갈 즈음, 다행히 동지가 지나고 크리스마스가 다가오고 새해가 시작된다.

조금씩 낮이 길어지면 사람들은 한겨울이 머지않아 끝나리라 직감하고, 새해 달력 속의 연휴를 찾아보며 다시 다가올 봄날을 꿈꾼다. 크리스마스 캐럴이 들려오고 밑바닥 인생 구유에서 구세주가 탄생하여 고통받는 우리들을 구원(救援)할 것이라는, '저 하늘의 영광이 이 땅의 평화를 가져오리라'는 복음(福音)은 차가운 광야에 지쳐 새로운 삶을 소망(所望)하는 우리에게 시의적절(時宜適切)한 위로가 된다.

가족과 함께 모여 지난 시간 속의 기쁨들을 함께 이야기하고 아픈 상처를 공감하고 보듬으면서, 결코 외롭지 않다는 깨달음과 더불어 잊고 살았던 가족의 소중한 가치를 다시 발견하게 된다.

사회생활을 하면서 생겨나고 사라지는 다른 사람들과의 인간관계[5]를 친밀도 순서에 따라 가족 관계망(Family Network), 친밀 관계망(Intimacy Network), 친근 관계망(Familiarity Network) 및 공적 관계망(Public Network)으로

한라산의 겨울

분류하기도 하는데, 결국 나이가 들어 퇴직을 하고 공적인 대외 활동이
사라진 후 우리에게 남겨지는 것은 '가족 관계망과 친밀 관계망'뿐이다.

하지만 젊고 활동적인 중·장년기에는 이익(利益)을 위해 '공적 관계망
과 친근 관계망'을 키우고 늘려가는 데 매달리다가 오히려 가장 소중한,
비가 오나 눈이 오나 우리와 함께하는 가족들과 어떤 대가도 바라지 않
고 항상 내 곁에 설 수 있는 친밀(親密)한 사람들에게 소홀하게 된다.

색즉시공(色卽是空) 공즉시색(空卽是色)

수상행식(受想行識) 역부여시(亦復如是)

있는 줄 알았는데 없고 없는 줄 알았는데 있더라

우리가 느끼고 생각하고 행동하고 깨닫는 것이 모두 이러하다

—『반야바라밀다심경』

불의(不義)는 참아도 불리(不利)는 참지 못하는 이익 집단의 사람들일수록 겉은 예의(禮義) 바르고 세련되게 포장되어 있어 우리의 수상행식을 흐리게 한다.

친근(親近) 관계 속에 '있는 줄 알았던 것'이 철들고 보니 '허망한 껍데기'뿐임을 알게 되었을 때, 아무것도 없어 보이던 가족 관계 속에서 오히려 끝없는 사랑과 믿음과 소망을 발견할 때, 한편 기쁘고 한편 세월과 인심(人心)의 무상(無常)함에 슬퍼지고 만다.

2017년의 끝자락에서 내 집착과 어리석음을 조금이나마 떨쳐내보자. 그리고 다가오는 새해 2018년에는 그물에 걸리지 않는 바람의 자유로움과 진흙에 물들지 않는 연꽃의 단아한 영혼을 좀 더 품고 살 수 있기를 소망하면서.

道谷@丁酉冬至

◇◇◇◇◇◇◇◇◇◇◇

4 자오(子午) 소음(少陰) 군화(群火)라 부르는 것은 자(子) 속에 숨은 불[火]이 본래 실력은 있으나 겉으로 드러나지 않은 소음의 모습을 하고 있으나 오(午)에 이르러 결국 불의 대장[群火]으로 발전하는 모습을 표현한 것이다.

5 송호근, 『그들은 소리 내 울지 않는다』, 이와우, 2013.

___ 구름은 서로 달은 동으로

고요한 밤 거룩한 밤

"고요한 밤 거룩한 밤 어둠에 묻힌 밤." 어린 시절 눈 내리는 크리스마스, 촛불 아늑한 성당에서 경건하고 고즈넉하게 합창하던 성가(聖歌) 소리가 한없이 그리워지는 시절이다.

오늘은 12월의 막바지, 차가운 겨울(冬)의 바닥(至), 동지다.

지구의 공전 궤도면에 약 23.4도 기울어진 지축(地軸)과 1월 초 태양의 근일점(近日點)을 지나는 지구의 타원 공전 궤도로 인해 북반구에서는 12월 초에 해가 가장 일찍 지고, 1월 초에 해가 가장 늦게 뜬다. 동지 무렵이 되면 낮의 길이가 가장 짧아지고 동지가 지나면 점점 낮의 길이가 길어진다.

고대 태양을 숭배하던 유럽 토착민들에게는 낮의 길이가 확실히 길어지는, 동지 이후 12월 25일경이 되면 어둠의 세력이 약화되고 다시 빛의 세력이 강해지는 것을 축복하는 태양의 축제를 여는 전통이 있었다.

로마제국이 변방의 토착민들을 기독교로 개종(改宗)시키는 과정에서 토착민들의 오래된 전통인 태양의 축제가 예수 그리스도의 탄생을 기념하는 크리스마스로 정착하게 되었다고 한다.

　아무튼 크리스마스가 지나면 다시 낮의 길이가 길어지고, 태양은 조금 더 따뜻하게 느껴진다.

　음력 10월은 『주역』의 중지곤괘[重地坤卦, ䷁]에 해당하여, 음(陰)으로 가득 차 있다가 동지가 지나면 『주역』의 지뢰복괘[地雷復卦, ䷗]로 바뀌며 양(陽)이 바닥부터 회복된다. 그래서 동짓달(음력 11월)은 '일양(一陽)이 다시 생긴다' 하여 복월(復月)이라고도 부른다. 정월(음력 1월)이 되면 『주역』의 지천태괘[地天泰卦, ䷊], 양과 음이 균형을 회복하고 음력 4월이 되면 중천건괘[重天乾卦, ䷀]로 양으로 가득 차 있다가 음력 5월, 하지가 지나면 천풍구괘[天風姤卦, ䷫]로 다시 음이 차오른다.

　소식영허(消息盈虛), 음이 양을 깎아 올라오면[消], 음으로 가득 차게 되고[虛], 다시 양이 음을 채워 올라가면[息], 양으로 가득 차게 되고[盈] 다시 음이 양을 깎기 시작한다. 그렇게 밤과 낮, 그믐과 보름, 춘하추동; 자연의 음양 순환이 반복되듯 우리 인간의 삶과 죽음, 만남과 헤어짐, 일과 사랑 또한 차고 기운다.

　호설편편(好雪片片) 불락별처(不落別處), 쏟아져 내리는 눈송이 하나하나 제자리를 찾아가는구나. 삶의 구비구비에서 만나는 소식영허; 어떤 이별, 가슴 저린 실패, 어떤 기쁨과 작은 성취들 각각에는 휘날리는 눈송

12월의 명동성당

이가 제자리를 찾아가듯 '어떤 인연과 의미'가 제각각 있었을 것이다.

동지, 지뢰복은 땅[地]속에 우레[雷]가 갇혀 있는 모습으로 아직 양 기운이 미미하고 음습한 기운에 눌려 있어 이를 잘 보호하고 길러야 한다. 동지가 되면 붉은 팥죽을 먹고 뿌리는 우리 풍습에는 붉은 화(火)의 기운으로 사악한 기운을 누르고 양 기운을 잘 보호하고 북돋아 다가오는 새해를 제대로 준비하자는 소박한 소망(所望)이 담겨 있다.

지일폐관(至日閉關)

상려불행(商旅不行)

동지에는 관문을 닫아

상인과 여행자가 다니지 않는다

—『주역』

밖으로는 땅처럼 멈추되 안으로는 우레처럼 정중동(靜中動) 움직여 다가오는 2017년 봄[春]을 마음으로 준비해야 할 때다.

그리고 2016년이 저물기 전에 영겁(永劫)을 순환하는, 스스로[自] 그러한[然] 자연의 섭리로부터 어둠과 추위에 움츠렸던 '2016년의 티끌들'을 털어낼 수 있는 용기와 희망을 배워보자.

고요한 밤 거룩한 밤 어둠에 묻힌 2016년 12월의 마지막 밤들에 '하늘에는 영광, 땅에는 평화'가 영원히 함께하소서.

NAH@丙申冬至

___ 구름은 서로 닮은 동으로

새로운 시간들을 위하여

열흘이나 되는 긴 연말(年末) 정초(正初) 휴가를 그저 평범하게 늦잠 자고 영화 보고 맛있는 점심 먹고 운동하고 저녁에는 가끔 사람들과 어울리고 틈틈이 궁금했던 책도 보고 미뤄둔 일 정리하며 백수(白手)처럼 지내다 보니 어느새 2017년은 가고 2018년이 시작되었다.

오늘은 2018년의 첫 절기, 소한이다. 작지만[小] 매서운 추위[寒]라는 소한 추위가 북미 대륙을 강타하고 있다는 소식이다. 미국 동부에 폭설과 한파가 몰아쳐 나이아가라 폭포의 일부가 얼어붙어버렸고 남부 플로리다에는 29년 만에 눈이 내리는 등 기록적인 추위가 주말까지 계속된다고 한다.

단순한 일상의 반복이 따분해, 의미 있는 나만의 유산(遺産)을 남기고 싶은 욕심에 2016년 새해 다짐으로 병신(丙申)년 입춘(立春)부터 쓰기 시작한 생각을 모아 글에 담은 '계절 편지'가 어느새 두 돌이 가까워지고 있다.

이 땅을 거쳐간 고고한 선인(先人)들이 남긴 생생한 기록들[6]을 접할 때마다 방대한 문화유산이 자랑스러우면서도, 개인적으로는 부럽기도 하고 부끄럽기도 하였다.

뭔가 아름다운, 남기고 싶은 것들에 대한 참을 수 없는 충동과 열정, 지나간 순간과 역사에 대한 자신의 생각을 그대로 웅변할 수 있는 용기, 어쩌면 그저 순수하기만 한 자아도취(自我陶醉), 그런 것들이 부러웠다면 보름 동안의 삶에서 A4 두 장의 이야기를 풀어내기도 힘겨운 늘 비슷한, 깊이 없는 삶에서 벗어나지 못하는 나의 무심(無心)이 부끄러웠다.

서불진언(書不盡言)

언불진의(言不盡意)

글로 다 말하지 못하고

말로 뜻을 다 전하지 못한다

—『주역』

나의 부족함과 어리석음에도 불구하고 부끄러우면 부끄러운 대로, 감상적이면 감상적인 대로 그때그때의 느낌을 존중하면서 다만 스스로에게 부끄럽지 않도록 끝없는 자기 검열과 성찰, 나태를 뛰어넘는 집념만 붙잡고 여기까지 왔다.

때로는 넘어지고 때로는 눈물 나게 사는 게 인생인지라 바꿀 수 없는 지나간 것들을 지나간 대로 내버려두고 그걸 바라보는 나의 생각을 솔직하게 들춰도 보고, 시선(視線)을 옮겨 바라보면서.

_ 구름은 서로 닿은 동으로

정동진 해돋이

작일승금일(昨日勝今日)

금년노거년(今年老去年)

황하청유일(黃河淸有日)

백발흑무연(白髮黑無緣)

어제가 오늘보다 좀 더 젊었고

올해는 지난해보다 좀 더 늙었다네

황하도 맑게 되는 날 있다 하지만

흰머리 검게 될 리 어디 있겠나?

― 유채춘, 「나홍곡(囉嗊曲)」

다시 아까운 한 해를 보내는 마음 한구석이 왠지 허전하기만 하다.

"잘 나이 든 모습이 보기 좋았다"는 모처럼 만난 옛 친구의 덕담(?)은 이젠 나이를 숨길 수 없을 만큼 나이가 들어 보인다는 소리로 들리고, "매섭던 청년 시절의 눈빛이 이제는 부드러워졌다"는 아내의 관상평(觀相評)도 왠지 젊은 날의 결기(決起)와 열정(熱情)이 무디어졌다는 소리로 들린다.

아무것도 가진 것이 없었지만 돌이켜보면 행복했던 젊은 날보다 훨씬 더 안정된 지금의 삶이 오히려 답답하고 안타깝게 느껴지는 것은 사라져버린 시간들, 소망했지만 가지 않은 길에 대한 진한 아쉬움 때문이다.

좀 모자라고 안타까움이 있었더라도 다 털어버리고 우리 모두 기쁜 마음으로 2017년은 Happy Ending으로 기억해보자.

시간(時間)이 존재하는 유일한 이유는 모든 것이 한꺼번에 일어나지 않도록 하려는 것이라 한다. 2018년은 새해에 걸맞은 다짐들과 새로운 버킷 리스트가 이루어지게 하자.

모쪼록 정의로운 머리보다는 친절한 가슴을 무조건 앞세우며 다시 씩씩하게 Happy Start, 그리고 내내 함께 행복하기를 꼬옥 선택해보자.

道谷@丁酉小寒

---

6 '한국고전종합DB(db.itkc.or.kr)'에서 고전 번역서, 한국 문집 총간, 『조선왕조실록』, 『승정원일기』, 『일성록』 등의 원문과 번역문을 자유롭게 읽어볼 수 있다. 동양 고전은 '동양고전종합DB(http://db.cyberseodang.or.kr)'에서 원문과 번역문을 볼 수 있다.

___ 구름은 서로 닮은 동으로

다시 새해를 맞이하며

호주 시드니 본다이(Bondi) 해변가의 따가운 여름 햇살과 길거리 카페, 버킷 리스트 중 하나에 들어간다는 '시드니 항에서의 새해맞이 불꽃놀이' 등등 겨울 휴가 기간을 '남반구에서 여름으로 지내는 경험'은 제법 신선하였다.

짧지만 달콤했던 모처럼의 겨울 여행에서 돌아와보니 어느새 2016년은 가고 벌써 2017년이 시작되고 있다. 오늘은 양력 새해, 2017년의 첫 절기, 작지만[小] 추위[寒]가 매섭다는 소한이다.

음력 12월, 섣달은 하늘의 변화로 낮이 길어지는 하늘의 봄 동지(冬至)를 지나 땅 위의 만물에 봄이 시작되는 땅의 봄 입춘(立春)으로 접어드는 시기로 올해는 소한과 대한(大寒), 두 추운[寒] 절기가 들어 있다.

소설(小雪), 대설(大雪)을 거치며 하늘에서 땅으로 내려앉은 수기(水氣)로 차갑게 얼어붙은 땅이 동지가 지나고 나면 좀 더 길어진 낮 동안, 좀 더 따사로워진 햇볕을 받으며 부드러워진다. 햇볕을 받은 땅은 대기(大氣)로 냉기(冷氣)를 뿜어내고 그 냉기로 인해 일 년 중 가장 추운 절기 소한, 대한이 된다.

특히 소한 무렵은 '대한이 소한의 집에 가서 얼어 죽는다'는 속담이 생길 만큼, 정초한파(正初寒波)라 불리는 북극(北極)의 강추위가 몰려와 일 년 중 가장 추운 시절이지만 올해는 소한이가 남반구로 여행이라도 간 것인지(?) 비교적 포근한 날씨가 지속되고 있어 겨울 얼음 축제를 준비한 사람들을 울상 짓게 하고 있다.

"까톡 까톡", 2017년을 축복하는 새해 인사들이 SNS를 통해 쏟아져 들어오는 것을 보고서야 2016년은 정말 끝났고, 이제 2017년이 시작되었다는 것을 실감하게 된다.

늘 한 해를 마감하면서 '다사다난(多事多難)했다'고 상투적으로 표현하고는 했는데 2016년만큼은 지구촌 전체와 대한민국 그리고 개인적으로도 정말 다사다난했던 한 해였다.

지족불욕(知足不辱)

지지불태(知止不殆)

가이장구(可以長久)

족한 줄 알면 욕됨이 없고

멈출 줄 알면 위태롭지 않으니

비로소 오래갈 수 있다

—『도덕경』

시드니의 새해맞이

　25년의 청춘을 불태웠던 회사를 M&A를 통해 떠나며 가진 것에 만족
[知足]할 줄 알고 멈춰야 할 때가 있다[知止]는 것을 조금은 깨달았던 한 해
였고, 인욕부중(忍辱負重), 욕됨을 참아내고 삶의 무게를 견디어냈다.

　답답함과 억울함을 뜨겁게 분출하는 젊은 직원들의 함성과 눈물을 마
주하고서야 똑같은 심정(心情)으로 느끼고 공감한다는 것이 얼마나 어려
운 일인지 지도자로 산다는 것이 어떤 고통까지 감내(堪耐)해야 하는 것
인지 조금은 경험한 한 해였다.

　한 해가 끝나고 다른 한 해가 시작되어도 그저 별다른 감흥(感興)이 없
다면 그 삶은 뭔가 모자란 것이다.

　삶의 의미를 잊어버렸거나 혹은 삶의 방향을 잃고 떠내려가는, 그래서

모든 것이 수동적이 되고 변화도 없는 재미가 없는 덤덤한 삶이라는 반증인 것이다.

늘 현재를 즐기고 내 삶 속에 숨겨진 소명(召命)을 찾으려 한다면 늘 돌아보고 반성하고 변화에 도전하고, 뼈아픈 실패마저 인정하여 받아들이고 삶, 그 모든 순간 속에서 가치와 희망을 발견하고 미소 지을 수 있어야 한다.

족함을 알고 멈출 줄 안다는 것은 재력이나 권력 같은 무상(無常)한 욕망에 대한 집착을 내려놓는 것이지 참되고[眞] 선하고[善] 아름다운[美] 가치들에 대한 믿음과 소망과 사랑을 내려놓는 것은 아니다.

지금 바로, 자신과 가족 그리고 벗들에 대한 소망을 담은 '2017년의 다짐'과 반드시 하고 싶은 '2017년의 희망, 버킷 리스트'를 진지하게 만들어 실행에 옮겨보자. 덤덤하게, 매일 똑같이 쏟아버리기에는 너무나도 아까운 시절들이 또다시 바람처럼 사라져버리지 않도록 말이다.

NAH@丙申小寒

_ 구름은 서로 달은 동으로

쥐가 소가 되고,
소가 범이 되는

오늘은 큰[大] 추위[寒]라는 대한, 가장 추운 절기답게 매서운 날씨가 오락가락하고 있다.

하지만 입춘(立春)이 가까워진 까닭일까? 창밖에서 길게 들어오는 햇볕이 한결 따뜻해졌고 춘망(春望), 봄을 기다리는 창밖 나무들도 어느새 생기(生氣)가 돌고 있다.

음력 12월, 축(丑)월은 겨울의 마지막 중기(中氣)[7] 대한을 항상 포함한다. 축월은 아직 양(陽)이 묶여[紐] 있지만, 쥐[子]만 하던 양기(陽氣)가 소[丑]만큼 자라는 달이다.

천개어자(天開於子) 지벽어축(地闢於丑), 자(子)월 동지(冬至)에 하늘이 열리고 축월 자라난 양기에 땅이 열린다.

'축'은 수(水)와 목(木)을 연결하는 토(土) 속에 목을 품고 있는 토중지목(土中之木)이다. 자월에 잉태(孕胎)된 양기는 축월에 이르러 만삭(滿朔)이 되고 인(寅)월이 되면 목으로 드러나며 새로운 세상, 봄을 낳는다. 겨울의 끝에서 봄이 열리는 수생목(水生木)은 토극수(土克水); 자수(子水)가 축토(丑土)에 촉촉하게 스며든 후 목극토(木克土); 축토를 뚫고 인목(寅木)이 솟아나는 두 번의 자기희생[克]을 거쳐 새롭게 태어나는[生] 것이다.

동지에서 일양생(一陽生)하여 지뢰복괘[地雷復卦, ䷗]로 바뀐 하늘의 괘상(卦象)이 대한이 지나면 양이 더욱 자라 올라 지택임괘[地澤臨卦, ䷒]로 바뀌게 된다. 지택임은 땅[地] 밑에 물[澤]이 스며들어 초목(草木)을 싹트게 하는, 이미 양의 기운이 하괘(下卦)의 주도권을 잡고 아래로부터 변화를 주도하는 상황에 직면한[臨] 괘상이다.

옛사람들은 지택임괘를 보고 새로운 개벽, 꽃 피는 봄이 임박(臨迫)했음을 알아차리고 교사무궁(敎思無窮) 용보민무강(容保民無疆), 새로운 변화에 대한 사상을 끝없이 전파하며 변화를 주도하는 사람들을 모두 수용하고 지켜준다.

맨 위의 양 상구(上九)를 버리고 초구(初九) 바닥부터 새로운 양으로 채워야, 애벌레를 잊어버리고 번데기를 벗어던져야 비로소 나비가 되어 새로운 세상으로 날아갈 수 있다.

얼마 전까지 거인(巨人)의 어깨 위에서 누리던 달콤했던 권력의 추억은 잊고 '내가 누구였는데'라는 집착과 '경험과 편견'의 감옥에 갇힌 구닥다리 나를 벗어던지고 마음 깊이 아직 조금은 남아 있는, 오염되지 않아 순수하고 씩씩한 나로 탈바꿈해야 한다.

그래야 소가 범[寅]이 되는 찬란한 슬픔의 봄을 다시 시작해볼 수 있다.

　　　　__ 구름은 서로 달은 동으로

영화 「1987」

　　모두가 뜨거웠던 그해, 영화 「1987」을 보면서 하염없이 눈물을 흘렸다.

　　1987년 6월은 미국 유학을 위해 정든 직장 KBS를 퇴직하고, 8월 출국을 기다리던 시기였다. "오늘 전두환 대통령은"과 "한편 이순자 여사는"으로 시작하던 9시 뉴스는 '보도 지침'을 따라 누더기가 된 어용 뉴스들로 늘 도배되고 있었지만, 서슬 퍼런 군사 정권에 저항할 용기가 없었던 방송국 사람들은 저녁마다 여의도 뒷골목에 삼삼오오 모여 앉아, 코가 삐뚤어질 때까지 술을 마셔가며 독재 정권의 뒷담화로 겨우 울분을 삭히던 시절이었다.

젊어서도 뜨겁지 않으면 심장이 없는 인간이요 늙어서도 여전히 뜨거우면 두뇌가 없는 인간이라 했지만, 1980년 서울의 봄과 광주 민주 항쟁을 처참하게 짓밟은 군사 정권에 도전할 용기를 가진 사람들은 혈기방장한 대학생들과 소수의 열혈 민주 투사들뿐이던 가슴 먹먹했던 시대였다.

일화독방불시춘(一花獨放不是春), 꽃 한 송이 피었다고 봄이 오는 것은 아니라 했지만 돌이켜보니 그 용감한 꽃송이들이 하나둘 피고 지어 봄이 왔던 것이었다.

자신과 가족을 희생하며 용기 있게 꽃을 피우다 스러져간 안타까운 지사(志士)들의 삶은, 영화 「1987」처럼 우리가 끝까지 기억하고 가슴 아파할 때 잊히지 않는 역사와 전설로 새겨진다.

모진 겨울의 절벽에서 소중한 목숨을 희생하여, 이 땅에 민주(民主)의 봄을 여는 도화선이 된 '박종철과 이한열', 두 젊은 영혼에게 늦게나마 '감사와 눈물의 양초'를 밝혀주고 싶다.

道谷@丁酉大寒

<hr />

7 24절기는 매월 상순에 하나, 하순에 하나 모두 24개가 온다. 매월 상순에 오는 12개는 절기(節氣), 하순에 오는 12개는 '중기'라 한다. 무중치윤법(無中置閏法), 즉 중기를 포함하지 않는 음력의 달은 (전월의 이름을 따서) 윤달로 한다. 이런 원칙에 의해 동지는 음력 11월, 대한은 음력 12월에 항상 포함된다.

나만의 역사와 신화

너무 추워 온몸이 졸아드는 듯한 정초한파(正初寒波)가 겨울을 겨울답게 하고 있다. 하지만 남쪽 지방에는 벌써 소나무 대나무와 함께 세한삼우(歲寒三友)라 불리는 매화(梅花)가 피었다는 봄소식도 들린다.

24절기(二十四節氣)의 마지막 절기이자 겨울의 마지막 절기, 오늘은 큰[大] 추위[寒]가 지나간다는 대한이다.

춥다. 우리 베이비 붐 세대의 마음은 한없이 춥다. 그동안 정말 열심히 부끄럽지 않게 살아왔는데, 그리고 이제 이순(耳順)의 나이가 되어가는데 우리에게 남은 것은 별로 없고 잃어버리고 잊고 있는 것은 너무도 많게 느껴진다.

IMF 때는 친구, 동료, 선후배들이 창창한 나이에 직장에서 잘리는 것을 가슴 아프게 지켜보았고, 리먼 브라더스 사태 때는 투자했던 노후(老後) 자금을 반(半) 토막 내고 가슴앓이했던 우리였다. "나 회사 더 다녀야 돼요. 다니고 싶어요"라고 한잔 술에 취해 절규하고 퇴직금 모아 작은 음

벌써 핀 매화

식점 차려 대박(大舶)은 아니지만 안정된 노후를 마지막으로 꿈꾸다가 좌절하고 절망하던 우리와 우리의 친구, 우리의 형제자매들이었다.

늙어 병든 부모 수발에 세월은 가고 만만찮은 병원비에 허리는 휘어지는데, 구직과 결혼 걱정으로 힘들어하는 자식들을 볼 때마다 말 못하는 가슴은 찢어지는데, 줄어드는 통장과 얼마 되지 않는 연금으로 늘어난 평균 수명을 버틸 생각을 하니 남은 삶은 왜 이리 서러워지고 세상은 왜 이다지도 불공평해 보이는 건지.

남아 있는 미래가 그저 막막해 보이던 2012년, 변화를 기대하며 대선에 적극 투표하여 더 좋은 세상 만들어보자던 우리였는데 어느 날 알고 보니 누군가는 국정을 방치하였고 누군가는 그걸 농단하고 있었다.

온갖 편법으로 헌법을 유린하고 정치(政治) 대신 통치(統治)하는 데 정신

___ 구름은 서로 달은 동으로

이 팔려 있어 누구도 우리들의 고통을 줄여줄 것 같지 않은 허망한 현실에 분노하고 자식 세대에게 이런 불공평한 세상을 물려주기는 더욱 싫어서 다시 한 번 분노하는 우리, 베이비 붐 세대의 마음은 소한(小寒) 대한 추위만큼이나 춥다.

'글을 다시 써야겠다'고 작정하고 '계절 편지'를 쓰기 시작한 지 벌써 일 년이 되어간다.

> 부지이언(不知而言) 부지(不智)
> 지이불언(知而不言) 불충(不忠)
> 잘 알지도 못하면서 떠드는 것은 지혜롭지 못한 것이요
> 알면서도 말하지 않는 것은 마음에 충실하지 못한 것이다
>
> —『한비자』

계절 따라 마주치는 세상 사는 소소한 이야기와 떠오르는 생각들이 그냥 지나치기에는, 나 혼자만의 굴레에 남겨두기에는 아쉬워 추하지 않게 조금은 격조 있는 이야기로, 나의 삶의 흔적으로 남기고 싶었다.

너무 큰 거대 담론을 이야기할 수도 있으나 부질없는 한탄이 될 듯하여 빠져들지 않으려 했다. 섣부른 자기주장보다는 옛사람들의 글과 지혜를 빌려 이야기하려다 보니 결국 현학적인 잔소리의 울타리에 갇혀버리는 것은 아닌지 늘 조심스럽다.

햇빛에 바래면 역사(歷史)가 되고, 달빛에 물들면 신화(神話)가 된다.

— 이병주, 『산하(山河)』

여기에 남기는 '나만의 역사와 신화'들은 그동안 지나치게 삶의 수단에 얽매여 쪼들린 마음으로 살았던 삶에서 벗어나 내가 사랑하였고, 사랑하고 싶었던 내 삶의 본질을 회복해가는 낭만적인 여정(旅情)의 편린이다. 그래서 '나만의 역사와 신화'를 퇴고(推敲)하는 시간들은 행복했고, 앞으로도 행복할 것이다.

삶과 계절 속에서 만난 작은 일들 속에 숨겨진 비밀과 새로운 발견들, 잊고 살았던 옛사람들의 유산을 누군가와 함께 음미할 수 있다면 이 또한 작은 기쁨이 아닌가?

설 연휴가 지나면 정유(丁酉)년이 시작된다. 다시 입춘(立春)이 오고, 이 땅과 지구촌에 결국 봄이 돌아올 것이다.

그 봄날을 기다리며 따뜻한 방, 창가에 기대앉아 쏟아지는 함박눈을 바라보며 방 안 가득 퍼져가는 향긋한 커피 내음과 낭만(浪漫) 가객(歌客) 최백호의 노래에 흠뻑 취해보자.

"왠지 한 곳이 비어 있는 내 가슴에 다시 못 올 것", 우리들의 낭만 시대를 추억하며.

NAH@丙申大寒